Serge Quadruppani

Saturne

Une enquête de la commissaire
Simona Tavianello

Gallimard

Écrivain reconnu, Serge Quadruppani est aussi traducteur d'italien et dirige la collection Bibliothèque italienne des Éditions Métailié. *Saturne* est la première des enquêtes de la commissaire Tavianello à paraître en Folio Policier.

LES PERSONNAGES

Les gens

Frédérique Play épouse de Henry Play, amante de Roberto Benedetti

Henry Play, artiste performer de renommée internationale

Roberto Benedetti : maître d'école

Maria Salvina, costumière et *catsitter,* compagne de Giovanna Grassi, rentière

Domenico Gardonni : cameraman télé, atteint d'un cancer très grave

Rita Gardonni : sa femme, journaliste

Ricardo Gardonni : leur fils, frère jumeau de

Silvia Gardonni : leur fille, sœur jumelle de Ricardo

Fabrice Ledhuis, amant de Cédric Rottheimer

Les flics et les juges

Cédric Rottheimer : ex-fonctionnaire de police français, devenu enquêteur privé à Rome

Simona Tavianello, commissaire principale auprès de la Direction nationale antimafia (DNA), collabore avec

Antonio Bianchi, procureur de la Direction de district antimafia

Prontino : procureur général de la Direction nationale anti-mafia

Febbraro : directeur du DIS, le Département des informations pour sécurité

Licata : lieutenant de carabiniers

Aldo Maronne, commissaire principal à la retraite

Jacopo Sarasso, ancien collègue de Simona Tavianello

La finance

Gerard Todos : citoyen américain originaire d'Europe centrale, directeur d'un *hedge fund,* fonds spéculatif international, connu pour ses œuvres philanthropiques et son goût pour la *deep ecology.*

George Palo : son éminence grise

La violence

Julien Dubien : directeur de la Défense Dubien, société de sécurité de dimensions internationales.

Jean Kopa : tueur complexe

Prologue

Mamelons moelleux et creux languides, toison épaisse des forêts, duvet frissonnant des prés, chair nue des sols retournés, la campagne toscane l'entoure de ses panoramas charmants. Sous un olivier, dans un grand désordre de racines rugueuses, il dort. L'après-midi de juin souffle à son nez plantureux des haleines de fleur que ses expirations trompettantes renvoient en faisant vibrer les longs poils de son nez. Sa nuque repose contre la panse d'un âne gris couché pattes repliées sous le ventre. Un chat noir lui sert d'écharpe et, de l'autre côté de son considérable estomac, en haut de ses cuisses, un lapin blanc repose. À ses pieds, le museau posé sur sa cheville droite, un chien fauve est roulé en boule. Hormis quelques brefs remuements d'oreilles du côté de l'âne et du lapin qu'agacent les mouches, sauf deux ou trois crispations griffues du chat qui rêve ses proies, ou des mouvements de queue du chien qui course en songe le chat, l'ensemble est tout à fait immobile.

Lui aussi rêve.

Il rêve d'un garçon qui a peut-être treize ans, peut-être douze. Son corps fait une tache blanche dans la pénombre d'une église, ses genoux paraissent gros en regard de la maigreur de ses cuisses, l'os des coudes semble si pointu qu'il paraît près de crever la peau. Il est agenouillé sur un prie-Dieu et, sauf un grand slip à poche qui lui remonte sur le ventre, il est nu. Il murmure : « *Pater noster, qui es in caelis sanctifice-tur nomen tuum...* » À sa droite, à un mètre environ, un prêtre est assis, ses gros doigts tripotant le chape-let accroché au cordon qui ceint sa soutane à la taille. Il fait très froid dans l'église silencieuse, le prêtre est engoncé dans un blouson au col doublé de mouton. L'enfant frissonne, ses yeux papillonnent, sa tête dodeline, il penche vers la gauche, semble sur le point de choir puis se redresse, écarquille les yeux. Ses lèvres reprennent leur murmure : « *adveniat... fiat voluntas tua* ». Le prêtre ne détache jamais son regard de ce corps d'enfant où les côtes saillent. Ainsi plié dans la génuflexion, avec ses membres longs et mai-gres et son dos où les vertèbres forment une espèce de crête, on dirait un insecte géant qui agonise.

La tête de l'enfant part en arrière. « *Panem nos-trum...* » chuchote-t-il puis, lentement, il s'affaisse au sol, s'y recroqueville en fœtus, pousse un grand sou-pir, s'endort.

Quelques secondes passent. Ensuite le prêtre se lève, un méchant rictus retrousse ses lèvres, il prend l'anse du seau métallique...

L'eau glacée arrache l'enfant au sommeil pour l'enfoncer dans la suffocation.

D'un coup, l'homme se dresse sur son séant, une main sur la gorge, l'autre sur la poitrine. Il halète. Autour de lui, l'âne s'est relevé, il s'ébroue, le lapin qui a fui à quelques mètres de là pose le museau sur ses pattes avant, le chat tombé sur le pré arque le dos et bâille, le chien décrit un, deux cercles et pointe la truffe vers l'homme, guettant ses mouvements. L'âne gris, le chat noir, le lapin blanc et le chien fauve regardent celui qui les a réveillés.

— Excusez, marmonne-t-il.

Avec des soupirs d'obèse, il se hisse à la verticale, frotte sur sa cuisse une paume maculée de terre, la passe sur ses cheveux blancs coupés court et plonge la main dans la poche de son pantalon de velours côtelé. Il en ressort un téléphone mobile, compose un numéro.

Il attend, ses yeux plissés orientés sur les lointains toscans. Ça sonne. Longtemps. Enfin un répondeur se déclenche.

— Simona, dit-il. C'est Aldo. Tu dois être encore en train de courir après tes mafieux. Mais j'ai quelque chose pour toi. Très important. Il faut que je te parle. D'urgence. Je…

Il hésite une seconde avant de terminer sa phrase :

— Je viens de faire une sieste intéressante.

Puis il raccroche, compose un autre numéro, en tenant l'appareil au creux de la main gauche.

Tandis qu'il attend que son correspondant décroche, la main droite cherche machinalement quelque chose sur son côté droit, à hauteur de la ceinture. Puis elle renonce. Voilà un moment qu'il ne porte plus de pistolet.

À quelques kilomètres de Limoges, au-dessus d'une campagne moins universellement célébrée que la Toscane, des nuages gris et noirs qui s'entassaient dans un coin du ciel depuis quelques minutes viennent de s'y déployer d'un coup, sans qu'un brin de vent ne soit passé sur la terre. À peine trois cents mètres au-dessous des nuées, la chaleur immobile croît encore à l'intérieur du manoir fin XIXe, au sommet d'une colline. On a fermé les fenêtres en attendant l'orage, et les convictions du maître de ces lieux — cheveux longs noirs impeccablement peignés, costume de lin froissé, chemise à fines rayures taillée sur mesure dans une boutique de Kensington, mocassins fabriqués dans le Nord-Est italien — lui interdisent le recours à l'air conditionné. C'est pourquoi il transpire beaucoup dans la bibliothèque, où il est en train de lire dans le *Financial Times* une interview de son patron : car le maître de céans, comme beaucoup de maîtres, a encore un maître au-dessus de lui. Ce qu'il lit en anglais, son cerveau le traduit en français, parce que c'est en France qu'il se trouve — en Limousin précisément — mais il pourrait tout aussi bien le traduire en italien ou en d'autres langues plus exotiques. L'un des signes distinctifs de sa caste, c'est la polyglottie. Ce qu'il lit fait froncer ses sourcils très épais et très noirs.

« *M. Todos, votre* hedge fund *a réussi à enrichir fabuleusement ses clients et ses gestionnaires avec la crise des* subprimes. *Comment avez-vous fait ?*

— *En anticipant de longue date cette crise et en prenant des positions à la baisse dont les contreparties ont été les grandes banques d'affaires de Wall Street, qui y ont laissé leur culotte. Ces idiots auxquels les parents ont payé la prépa, Yale et le MBA de Harvard, étaient bons à plumer. Ces gens qui étaient la plupart du temps indignes de l'éducation qu'ils ont (supposément) reçue se sont élevés jusqu'aux sommets des affaires bancaires et politiques. Tout cela n'a abouti qu'à rendre pour moi plus facile de trouver des gens assez bêtes pour se trouver en face de mes transactions. Dieu bénisse l'Amérique.* »

Il y va fort, le boss, songe le maître de céans en s'essuyant le front. Mais c'est l'époque qui veut ça : on commence à prendre conscience du contenu réel de nos activités, et peut-être n'est-il pas mauvais d'anticiper le mouvement. Puis il fronce le sourcil. Il vient de penser à un aspect de ses propres activités, il baisse le journal et détourne la tête vers un écran d'ordinateur en se disant que cela fait longtemps qu'il aurait dû faire disparaître une certaine prose en ligne, il y songe depuis des mois et inexplicablement repousse toujours le moment de le faire, il se dit que ce n'est peut-être pas si inexplicable après tout mais qu'il ne se croyait pas si sentimental, il va enfin se décider à effacer ces mots qui sentent le passé, il va pour s'arracher à l'antique fauteuil à oreillette quand son mouvement se fige. Son regard s'est posé sur la fenêtre voisine et il a croisé, sous de longs cils pensifs, le regard d'un chevreuil.

La bête le fixe à travers la vitre. Est-ce la chaleur inhabituelle qui l'a poussée à s'approcher si près, en quête d'eau peut-être ou alors elle l'a tant étourdi qu'il erre, l'animal ? Le long museau si fin est immobile, les oreilles dressées ont un frémissement infime et continu. L'homme et la bête se fixent. Lui se sent comme penché sur une douve dont les eaux noires l'appellent. Elle...

Une grosse goutte d'eau explose sur la vitre. L'homme sursaute, le chevreuil n'est plus là.

Roulement des tambours célestes, fanfare de l'averse, l'homme s'ébroue, laisse glisser le journal à terre et se lève pour prendre son Blackberry, appeler son chauffeur, lui annoncer qu'on rentre à Paris. Il a oublié ce qu'il voulait effacer de ses activités, car d'autres activités l'appellent.

1

Ceux qui vont mourir

Ayant perçu l'immobilisation complète de l'appareil une seconde avant l'extinction du signal lumineux, Frédérique fut debout avant tout le monde, son mètre soixante-dix-huit courbé sous les coffres à bagages et déjeté vers la droite suivant la ligne de la paroi au-dessus du hublot. Elle n'en pouvait plus de ces sièges low cost où l'on ne peut ni lire, ni dormir, ni rien faire d'autre qu'attendre que ça passe. Ses soupirs exaspérés réussirent à dévisser de leurs sièges le jeune couple enlacé depuis le départ autour de leur guide de la Cité Éternelle. Quand elle parvint à s'insérer entre la taille du mâle et le dernier fauteuil, la partie la plus fusionnelle du duo, blonde francophone avec l'accent du Midi, lui lança un regard haineux, comme si le gai fessier en trompette de Frédérique approchant à moins de trois centimètres de la braguette de son mec pouvait entamer en quoi que ce fût ce sentiment exclusif inouï, jamais ressenti dans les siècles des siècles (sauf peut-être par quelques milliards d'êtres humains), qui les unissait à jamais. Le regard de l'homme, un Noir pas mal en fait, tombant par un heureux hasard dans l'entrebâillement du chemisier qu'elle avait oublié de reboutonner après avoir eu trop chaud, Frédérique s'empressa de se placer dans l'espace rembourré formé par l'arrière-train d'une religieuse et le buste important d'une dame sur lequel de coruscants joyaux illustraient le triomphe mondial de la nouvelle esthétique élyséenne.

Dans l'abri de ces chairs sœurs, Frédérique récupéra son bagage d'une main et commença à tripoter son portable de l'autre. Quelques secondes plus tard, tandis qu'elle progressait à petits pas vers la porte avant, Roberto l'appela. Il lui dit « ben arrivata amore mio » et combien il était heureux de la revoir, ils convinrent de se retrouver à l'entrée du parc de stationnement le plus proche de la sortie B de l'aéroport Leonardo da Vinci et elle pensa que cette fois était la bonne, elle n'en pouvait plus de lui mentir en sachant qu'il savait qu'elle mentait, c'était décidé, elle allait le quitter.

Au moment où Frédérique inspirait la brise tiède qui sentait le pin parasol, comme elle marquait une brève pause avant de descendre la passerelle pour rejoindre le bus et franchir des portes et passer devant les tapis à bagages sans s'arrêter et franchir d'autres portes deux fois encore et s'approcher du parc de stationnement et de Roberto et lui dire enfin, à ce moment si plein pour elle de ces mouvements à venir, Jean Kopa reposait sa tasse à café sans l'avoir vidée.

Il était à quatre cents kilomètres environ des courants d'air venus de la mer agiter la chevelure blonde et longue de Frédérique, il était à Ferrare, ville de hauts murs occultant des jardins où pousse la nostalgie. Il avait voulu boire un cacao chaud dans une fameuse boutique où on lui avait aussi fait goûter la spécialité, les chocolats à la bière, et maintenant il se sentait un peu nauséeux.

En ce même instant, Maria, jolie trentenaire aux longs cheveux châtains, joignait les mains en apercevant au bord de la route le corps d'un chat, juste après le virage que prenait la bretelle reliant la *via* Aurelia avec la route des thermes de Saturnia. La bête était étendue sur le flanc, pattes étirées sur le côté comme dans un sommeil profond.

— Qu'est-ce que tu fais, tu pries ? demanda Giovanna, quadragénaire au corps massif, au visage carré, aux beaux traits étonnamment juvéniles. Pour l'âme de ce chat ?

— Non, ça me fait de la peine, c'est tout, dit Maria, les larmes aux yeux.

— *Madonna,* quelle sensiblerie à la con, marmonna Giovanna en passant une vitesse pour attaquer la montée menant à un plateau de labours monotones qui s'étendrait sur quelques dizaines de kilomètres avant que la chaussée escalade les belles collines toscanes aux échines douces comme des dos de chat.

— On est pas obligées d'être une caricature de couple lesbien, dit Maria en reniflant. Toi l'hommasse dure et moi la petite chose pleurnicharde.

Giovanna fronça le sourcil puis sourit.

— T'as raison, ma petite chose, rétorqua-t-elle, allez, passe donc le paquet de cigarettes à ton hommasse préférée.

Tandis que Maria observait que ça ne servait à rien d'avoir programmé trois jours de régime et de marches et de bains chauds si c'était pour qu'elle fume deux fois plus ; Jean Kopa contemplait l'activité d'une jeune représentante d'un sigle humanitaire étalé sur un drapeau bleu vichy de l'autre côté de la rue piétonne, au-dessus d'une table pliante. La jeune femme, cheveux très bruns et peau très pâle, arrêtait les passants pour leur proposer de signer quelque pétition en faveur d'une cause et quand elle donnait de longues explications à un monsieur paternaliste en loden ou à un étudiant qui la reluquait, elle rougissait et ses narines, si fines que la lumière du matin paraissait les traverser, palpitaient. À plusieurs reprises, elle avait rajusté son bandeau, révélant ses aisselles, qui n'étaient pas rasées.

Il y avait là plusieurs détails qui ne laissaient pas Jean indifférent.

À l'instant (ou à peu près) où une théorie d'ados tapageurs menés par deux professeures épuisées cacha l'humanitaire aux yeux de Jean, Domenico Gardonni annonçait à son épouse Rita et à ses enfants Silvia et Ricardo qu'on ferait une pause à la prochaine station-service.

— Déjà ? s'étonna Rita.

— Qu'est-ce que vous dites ? demanda Ricardo, en retirant les écouteurs de son iPod.

— T'es fatigué, papa ? demanda Silvia, l'air anxieux, en relevant les yeux de son bouquin.

— Non, mon trésor, rétorqua le père — il avait prononcé *tesoro* avec l'accent palermitain, comme chaque fois qu'il donnait dans le tendre. J'ai envie d'un cappuccino.

— Et moi d'un Coca, dit Ricardo.

— Sans sucre, décréta Rita.

La voiture prit la bretelle d'accès à une station-service géante, et tandis qu'un flot continu de véhicules continuait de filer sur la *via* Aurelia bien au-dessus de la vitesse autorisée, elle contourna la vingtaine de pompes devant lesquelles stationnaient deux douzaines d'autos dont la majorité de passagers paraissait occupée à faire la gueule. Au terme d'une parabole souple et silencieuse, le véhicule haut de gamme alla se garer en deuxième position devant un Autogrill.

Domenico Gardonni coupa le contact et se passa une main sur le visage.

— Allez-y, les enfants, il faut que je parle une minute à maman. On se retrouve devant les machines à café.

Rita lui lança un regard interloqué mais ne dit rien.

— Tu te sens pas bien, papa ? demanda Silvia en refermant son livre.

— Non, ça va très bien, allez-y. On arrive.

Ricardo était déjà dehors :

— On y va. Je peux acheter un manga, aussi ?

Rita fronça le sourcil et allait répondre mais Domenico la précéda :

— D'accord. Pas de porno, hein ?

— Sûr, sûr que ça va, *babbo* ? insista Silvia.

— Oui, ma chérie…

— Lâche-les, intervint Ricardo. Ils ont droit à leur *privacy,* non ?

Pendant quelques secondes, le couple suivit du regard les deux ados qui gagnaient la porte de la boutique.

— Comment ils marchent, ces petits, dit ensuite Domenico. Elle, le buste très droit, bras le long du corps, juste les jambes qui bougent. Et lui, on dirait qu'il est en caoutchouc, tout le corps qui ondule... On croirait pas qu'ils sont jumeaux. Je suis inquiet pour elle... après...

Il se racla la gorge. Rita le fixa dans le rétroviseur au-dessus du volant, ses yeux clairs dans les yeux noirs de son mari. Le crâne chauve, la maigreur flottant dans un costume de lin noir, tout accentuait le contraste avec le sentiment d'heureuse abondance qu'inspiraient les courbes de la femme et sa chevelure rousse comme un feu de broussaille. Mais leurs traits tirés accusaient une fatigue commune.

— Tu as eu le résultat des analyses ? s'enquit-elle. C'est ça qui te tracasse depuis ce matin ?

Il hocha la tête.

— Elles ne sont pas bonnes ?

Il secoua la tête.

— Qu'est-ce qu'il a dit, Pugliese ? demanda-t-elle encore. Tu l'as vu ?

— Oui. Pas grand-chose. On va reprendre la chimio. Le pourcentage de réussite diminue. Des trucs comme ça.

Elle posa la main gauche sur sa main droite à lui restée sur le volant.

Il se racla de nouveau la gorge, trouva une voix calme :

— Bon, il fallait que je te le dise. J'avais pensé attendre lundi pour ne pas gâcher le week-end à Saturnia. Mais fallait que ça sorte. Excuse-moi... de décharger mon angoisse sur toi.

— Dis pas de bêtises.

— Bon, fit-il en lui caressant les cheveux. Ça va, maintenant. Le programme reste le même. Faut qu'on passe un bon week-end.

Et comme les yeux de sa femme se remplissaient de larmes :

— Allez, je t'en prie. Dans notre situation, il faut vivre au jour le jour…

Du bout du pouce, il lui essuya les coins des yeux.

— Vivre, c'est mon programme du week-end, conclut-il avec un sourire à peine forcé.

Au groupe d'ados emmenés par leurs professeures avaient succédé cinq ou six jeunes filles surexcitées au cou desquelles pendaient des tétines fantaisie, certaines les suçotaient tandis que les autres les laissaient ballotter sur des T-shirts fluo badgés et déchirés. Puis une cohorte de retraités dynamiques passèrent à vélo. La brune humanitaire avait reçu le renfort d'un jeune gaillard et ils bavardaient avec intensité tout en distribuant distraitement des tracts. Comme elle ne se touchait plus les cheveux, ses aisselles étaient redevenues inaccessibles au regard. Jean se leva, laissa quelques pièces sur la table et remonta la rue. Il longea la cathédrale, avec son portique d'antiques boutiques construites à des époques reculées par un évêque avisé et sa rangée supérieure de colonnes rapportées d'Orient, contourna un autre groupe de retraités cycloportés à l'arrêt et entra dans la sublime nef. À l'abri d'un confessionnal, jolie cahute de bois sculpté placée au pied d'un immense pilier, il s'agenouilla et dit :

— Bénissez-moi, mon père, parce que j'ai péché.

De l'autre côté de la grille, il y eut un grognement, un remue-ménage comme une bête qui se secoue, puis une voix rocailleuse à l'accent romagnol répondit, un peu ensommeillée :

— Je vous écoute, mon fils. Depuis combien de temps ne vous êtes-vous pas confessé ?

— Depuis six mois. Depuis la dernière fois que j'ai dû... que j'ai dû faire du mal pour atteindre un bien supérieur.

Le prêtre émit un claquement de langue.

— Il faut être plus précis quand on vient déposer le fardeau de ses fautes devant Dieu. Quels péchés avez-vous commis ?

— Mon père, c'est difficile à... je suis un soldat, j'ai agi en mission, j'ai obéi aux ordres d'un supérieur, mais c'est une chose qui me hante, vous comprenez...

Il soupira, laissa passer quelques secondes et comme ça remuait de nouveau derrière la grille, il lâcha :

— ... j'ai *donné la mort**[1]*, comme on dit en français... vous comprenez ? répéta Jean.

— Vous êtes français ? demanda le prêtre dont le visage n'était qu'une tache plus blanche dans la pénombre.

— Je suis d'origine polonaise, mais je suis devenu français en passant par la Légion étrangère. Vous comprenez ça, cette idée étrange, « donner la mort » ? insista-t-il en répétant l'expression en français avant de la traduire en italien : *dare la morte*.

— Je comprends. En français et en italien. Voyez-vous, j'ai quatre-vingt-deux ans et moi aussi, autrefois, j'ai tué.

Le prêtre marqua une pause avant de reprendre à voix plus haute :

---

1. En français dans le texte, comme, par la suite, tous les mots en italique suivis d'un astérisque.

— À dix-sept ans, j'ai combattu avec les partisans dans les Langhe, contre les fascistes et les Allemands. Moi aussi, j'ai dû demander pardon à Dieu pour avoir versé le sang. Mais je crois que ce don que nous sommes parfois obligés de faire, dans des circonstances exceptionnelles, voyez-vous, c'est vraiment un don dans le sens où, celui que nous tuons, nous lui restituons son humani...

Il s'interrompit brusquement. Une petite musique s'élevait, guillerette, dont les paroles fameuses étaient chantées avec l'accent populaire romain :

Faccetta nera, bell'abissina
Aspetta e spera che già l'ora si avvicina !
quando saremo insieme a te,
noi ti daremo un'altra legge e un altro Re.

(Petite tête noire, belle Abyssine,
Attends et espère car l'heure est déjà proche !
Quand nous serons auprès de toi,
nous te donnerons une autre loi et un autre roi.)

Il y avait beaucoup de poches dans la veste sans manches que Jean portait par-dessus une chemise de flanelle grise et le temps qu'il trouve son portable, l'appareil en était à une troisième reprise du refrain mussolinien quand il mit la main dessus. Voyant le nom du correspondant, il appuya sur la touche verte et, tout en portant l'appareil à l'oreille, il se releva vivement, s'éloigna à grands pas du confessionnal.

— Allô, chuchota-t-il, ne quittez pas, capitaine, je dois me déplacer.

Une main couvrant le micro du mobile, il se dirigea vers la porte. Dans son dos, la voix du prêtre gronda :

— Fasciste de merde !

Sur le parvis, tout en vérifiant que le curé rouge ne l'avait pas suivi, Jean reprit la communication, écouta les instructions.

Quand son interlocuteur eut fini de parler, Jean Kopa dit :

— Bon, je dois être à quatre heures de route de Saturnia. Si ça roule bien, je peux faire ça vers 13 heures... Si je rencontre un problème quelconque, je vous recontacte à ce numéro. Si ma mission est réussie, vous le saurez vite. Tout le monde le saura.

Il eut un petit rire plus nerveux que joyeux, écouta les derniers mots de son interlocuteur et, avant de couper, les répéta :

— Retex[1] à 20 heures, OK.

Puis il jeta son portable au sol et l'écrasa à coups de pied avant d'en extraire la puce et la batterie. En levant les yeux, il vit, juchée sur un haut vélo, la jeune brune pâle aux aisselles profuses qui le regardait en souriant.

— Moi aussi, quelquefois, j'ai envie de le faire, dit-elle, mais je n'ose pas.

Tandis que les lèvres de Kopa esquissaient à leur tour un sourire, son regard fouilla sans ménagements les traits délicats :

— Parfois, il faut savoir oser, répondit-il.

Elle rit, puis, sérieuse soudain, considéra un instant ce quadragénaire élégant et musculeux, aux che-

1. Retex : « Retour d'expérience », jargon militaire. Tend à remplacer « rapport ».

veux blond-roux, au beau visage à peine enlaidi par un nez bizarrement tordu. Sa main toucha le bandeau dans ses cheveux, offrant une dernière vision de touffe, intime flamme noire sous les bras. Ses lèvres grenadine s'écartèrent, elle parut hésiter à répondre quelque chose puis leva la main dans un geste difficile à interpréter et s'en fut.

L'oriflamme de sa robe d'été flotta un moment dans la foule piétonnière avant de disparaître. Kopa observait, tête penchée sur le côté, comme quelqu'un qui regarde s'en aller une autre vie possible.

… 'cause the time they are changing…

Frédérique appuya sur une touche, rétablissant brusquement le silence dans l'habitacle.

Roberto acheva la manœuvre de dépassement d'un poids lourd lancé à cent vingt sur l'Aurelia et demanda :

— T'aimes plus Dylan ?

— Je suis pas d'humeur nostalgique. Et depuis le temps que les temps changent et que c'est toujours la même chose…

— Oh là, je vois…, dit Roberto.

Elle tourna vivement son profil vers lui, sourcils froncés, traits durcis :

— Quoi, qu'est-ce que tu vois ?

Il laissa passer quelques secondes tandis qu'à leur droite défilaient les vertes prairies piquées de corolles jaunes, rouges, violettes. Puis sur un ton paisible, il dit :

— Détends-toi, ma chérie. Profitons de ce week-end à Saturnia. Après, si tu veux parler, on parlera.

Frédérique le fixait toujours. Sa poitrine se gonfla,

elle pensa j'aurais pas dû accepter mais il avait l'air si content sur le parking, en m'annonçant ce week-end surprise, je ne sais pas si je vais tenir sans craquer mais bon, comme toujours, il est si sympa et si beau, alors bon...

— D'accord, dit-elle en expulsant l'air resté bloqué dans ses poumons, tu as raison. Passons un bon week-end.

Du bout de deux doigts, elle lui caressa la joue. La peau en était douce comme celle d'un bébé. Il sentait la rose et le vétiver.

— Mais pour ça, ajouta-t-elle, il faut qu'à peine arrivés tu me baises sauvagement.

Il rit.

— D'accord, dit-il, ce sera fait.

Il lui jeta un long regard, détaillant l'offre des lèvres entrouvertes, de la peau dorée que le désir marquait de rouge au cou, des yeux brillants. Il revint à la route. La voiture avait nettement ralenti, il reprit la vitesse de croisière.

— Je bande si fort que j'en ai mal, annonça-t-il à mi-voix. On va faire l'amour longtemps, longtemps, tout doux, tout doux, je mettrai un temps infini à te pénétrer et puis après, très très fort... comme tu aimes.

Frédérique émit un rire trouble.

— On va baiser comme des dieux ! s'exclama-t-il à voix très haute puis redescendant de deux tons : on va baiser comme si c'était la dernière fois.

Ensuite elle mit un CD de musique traditionnelle du Mali.

Derrière eux, quand ils avaient ralenti, un homme au volant d'une moyenne cylindrée de marque allemande avait dit merde en français. Qu'est-ce qu'ils foutent, avait-il pensé, ils ne m'ont quand même pas repéré ? Puis il s'était rasséréné en voyant le geste de tendresse de la femme caressant la joue de l'homme. C'est bon, ils sont bien partis pour un week-end d'amour et d'eau tiède. Va savoir pourquoi les amants par ici aiment tant se tremper le cul dans de l'eau puante avant de niquer, peut-être que l'odeur de soufre ajoute à la sensation de transgression ?

Les premières notes d'*Imagine* lui firent jeter un coup d'œil à l'écran du portable posé devant le volant. Il appuya sur une touche et dans l'écouteur oblong contre son oreille, on s'enquit :

— Bonjour, monsieur Rottheimer, vous êtes toujours derrière ma femme et son amant ?

— Oui, monsieur Play, je les suis, ils sont sur l'Aurelia, mais d'après ce que j'ai réussi à entendre avec mon micro directionnel, sur le parking, ils semblent en route pour Saturnia.

— Où ça ?

— Saturnia. C'est une localité au sud de la Toscane, il y a un établissement thermal très couru.

— Un quoi ?

— Un endroit avec des sources chaudes et soufrées. Les Italiens adorent prendre des bains là-dedans.

— Génial ! Filmez-moi ça aussi.

— Quoi, ça ?

— Quand ma femme et son amant seront dans l'eau chaude, il me faut des images aussi. Deux trois minutes, pas plus. Ensuite, vous vous dépêchez de m'envoyer le tout.

— Ah, mais ça va faire un supplément, ça !

— Disons mille euros de plus, ça vous va ?

— Ça me va très bien.

— Dès que j'ai toutes les images que je vous ai commandées, je vous vire les deux derniers tiers comme convenu, plus le supplément. Mais il faut me les envoyer au plus vite, les images. Au plus tard demain soir. N'oubliez pas que j'ai mon vernissage lundi !

— Pas de problème, j'ai mon ordi et une con-nexion mobile. S'ils… s'ils consomment tout de suite et qu'ils vont dans l'eau après, vous pourriez avoir l'ensemble dès ce soir.

— Ce serait super ! s'exclama Play, enthousiaste. Je compte sur vous.

Planète de cinglés, pensa Cédric Rottheimer en coupant la communication. Enfin, puisqu'il paie et qu'on a signé un contrat en béton…

Giovanna et Maria étaient en train de discuter de l'expérimentation animale, la première soutenant que, dans certains cas limites, quand la douleur extrême ou la vie des humains étaient en jeu, et s'il n'y avait vraiment aucun autre moyen, elle n'y était pas oppo-sée, tandis que Maria affirmait avec force qu'il n'y avait aucune raison de considérer la vie des humains comme supérieure à celle des autres animaux, que la puissance des hommes leur imposait au contraire des devoirs de protection à l'égard des autres espèces, quand le mobile de Maria sonna. Elle jeta un coup d'œil au cadran :

— C'est elle, dit-elle et elle prononça le prénom et le nom d'une actrice italienne connue, abonnée aux rôles de moyenne bourgeoise névrosée.

— Réponds pas, dit Giovanna, mais Maria avait déjà pris la communication.

— Oui, bonjour... non, je ne suis pas à Rome, non, non, ce n'est pas possible... non, je suis partie en week-end. Oui, je vous l'ai dit, loin de Rome... C'est impossible. Non, attendez, écoutez-moi... Je vais vous envoyer le numéro d'une amie qui fait aussi la *catsitter*, elle a autant d'expérience que moi. Oui, je sais bien que Roméo est habitué à moi, mais avec elle ça devrait très bien se passer. Non, je vous assure, ce n'est pas possible... bon, ben tant pis. Ne vous énervez pas... non... comme vous voulez. Tant pis, moi aussi je l'aime bien. Je m'occuperais volontiers de lui la prochaine fois, mais ce coup-ci... non, non, c'est pas possible. Écoutez, ne vous mettez pas dans cet état, voyons...

Maria posa la main sur l'appareil et lança un regard affolé à Giovanna.

— Elle pleure, chuchota-t-elle.

Sans quitter la route des yeux, Giovanna fit un doigt d'honneur à l'adresse du portable. Maria reprit la communication :

— Écoutez, je vais être obligée de couper. Je vous envoie le numéro de mon amie. Mais non, vous verrez, ça va très bien se passer. Non, je n'ai pas le temps... non, je vous dis que je n'ai pas le temps.

Elle coupa la communication.

— *Cazzo !* Cette folle, elle voulait me faire écouter les miaulements de Roméo ! Pas étonnant qu'il soit complètement barge, avec une maîtresse pareille. Il lui a vomi sur une robe à quatre mille euros !

Giovanna ne répondit pas, apparemment concentrée sur les virages de la route en descente. Entre les arbres du bord de la chaussée, on apercevait par moments, au fond de la vallée, les méandres d'un ruisseau laiteux aboutissant à une cascade d'où s'élevait une colonne de vapeurs opaques. Des silhouettes bougeaient sur les berges et dans les eaux plâtreuses.

Quand Maria eut fini de taper son SMS et l'eut envoyé à la maîtresse de Roméo, Giovanna laissa tomber :

— Tu t'égares ma chérie. Je suis désolée de te le dire, mais tu t'égares. Au début, c'était rigolo que tu gardes les chats et les chiens de la moitié du show-business de Rome mais maintenant, c'est trop. Tu es de moins en moins costumière et de plus en plus *cat* — et *dogsitter*.

— Pfff, rétorqua Maria, de toute façon, avec ce qu'on m'a proposé comme salaire d'assistante-costumière sur le dernier film… heureusement que j'ai cet autre boulot.

— Je peux te le dire encore une fois ? Quand tu veux, tu t'installes chez moi, et tu pourras te consacrer tranquillement à la création de ta ligne de vêtements.

— Je peux te le dire encore une fois ? Il n'en est pas question.

Regards noirs, virages, mots aigres, virages, élan de tendresse, virages, sourires.

Après qu'elles se furent garées, le temps de s'embrasser et d'échanger leurs places, Maria annonça :

— Voilà, à partir de maintenant, c'est moi qui prends les choses en main, t'as compris, ma petite chose ?

Giovanna rit. Comme la pente cessait et qu'elles passaient devant l'entrée d'un chemin où des gens en tenue de bain allaient et venaient autour de voitures garées à touche-touche, elle dit à la conductrice en lui caressant la main droite que la vie était belle.

En quittant la *via* Aurelia pour la bifurcation vers Saturnia, Domenico ne remarqua pas le corps du chat au bord de la chaussée et les suspensions de sa voiture étaient trop confortables pour que quiconque, à bord, sente que les roues passaient sur quelque chose.

— Papa, on est obligés d'aller dans l'eau avec vous ? s'enquit Silvia.

— Pourquoi tu demandes ça ? répondit Domenico. Je croyais que tu aimais bien ça, les petites cascades, les remous, le jet sous la surface qui te masse le dos… tu te souviens pas ? Et le bassin pour les enfants, où il y a plein plein de petits geysers sous l'eau ? Quand t'étais petite…

— Je ne suis plus petite, papa.

— Écoute, vous restez deux trois heures dans l'eau avec nous et après, si vous voulez, l'un de nous vous ramènera à l'agritourisme. Vous pourrez faire du cheval, ou rester tranquilles sur la terrasse… d'accord ? Mais comment ça se fait, que tu n'as plus envie d'aller dans l'eau ? L'année dernière…

— J'ai envie de lire, papa. Et l'eau, ça mouille les pages.

— Mais enfin, tu pourrais faire autre chose que lire toute la sainte journée…

Sonnerie.

— Passez-moi mon sac, intima Rita vers l'arrière.

Ricardo le prit à ses pieds, le transféra par-dessus le siège, Rita fouilla, sortit portefeuille, enveloppes et papiers divers, petites trousses, mouchoirs, étui des cartes de crédit, étui à lunettes… Quand elle mit la main sur l'appareil, la sonnerie venait de s'éteindre.

— Oh, fit-elle en voyant le nom sur l'écran, quelle tuile ; et elle prononça le nom d'une actrice italienne connue, abonnée aux rôles de moyenne bourgeoise névrosée.

— Ah, fit Domenico, celle-là ? Celle qui a des lèvres tellement gonflées au collagène qu'on dirait des hémorroïdes ?

Explosion de rires à l'arrière, fausse indignation sur le côté :

— Tu exagères de parler d'elle comme ça. C'est une belle femme. Ça fait des semaines qu'elle renvoie l'interview, si ça se trouve, elle s'est décidée, expliqua Rita tout en collant l'appareil à son oreille pour écouter le répondeur.

Au bout de quelques secondes, elle dit :

— Ah ben ça, elle me dit que c'est bon pour lundi, mais elle a décidé de venir à Saturnia, elle aussi, et que si je veux…

— Ah non, tu vas pas travailler ce week-end.

— Non, il faudra juste que j'essaie de ne pas la rencontrer. Mais lundi, je vais avoir du mal, quand elle parlera, à ne pas penser à ce que tu viens de dire…

Hilarité générale. Le calme revenu, Silvia demanda à sa mère de chanter la *Formicuzza*, et sa mère s'exécuta. Elle chantait très bien, elle avait une belle voix en parfait accord avec la naïveté cruelle et gaie de la chanson enfantine.

C'era un Grillo, in un campo di lino,
Venne la Formicuzza, « me ne dai un mazzolino ? »
Parazumparazumpallero parazumparazumpallà.

L'était un grillon, dans un champ de lin,
Vint la petite fourmi « donne-m'en un brin »
Parazumparazumpallero parazumparazumpallà

Disse il Grillo : « Che cosa ne vuoi fare ? »
« Calze e camicie : mi voglio maritare ».
Parazumparazumpallero parazumparazumpallà.

Le grillon dit : « Que veux-tu en tirer ? »
« Des bas et des chemises : je veux me marier. »
Parazum…

Disse il Grillo : « Lo sposo sarò io ».
La Formicuzza : « Sarò contenta anch'io ».
Parazumparazumpallero parazumparazumpallà.

Le grillon dit : « Je serai le mari ».
La fourmi : « Je serai contente aussi. »
Parazum…

Era arrivato il giorno delle nozze :
Due fichi secchi e tre castagne cotte.
Parazumparazumpallero parazumparazumpallà.

La journée des noces était arrivée :
Trois châtaignes cuites, deux figues séchées.
Parazum…

Eccoli giunti davanti al cancello,
Ma il Grillo cadde e si ruppe il cervello.
Parazumparazumpallero parazumparazumpallà.

Les voilà devant la porte de l'église
Mais le grillon tombe et la tête se brise.
Parazum…

La Formicuzza per il gran dolore ;
Prese uno spillo e si trafisse il core
Parazumparazumpallero parazumparazumpallà.

La petite fourmi, de tant de douleur
Prit une épingle et se transperça le cœur
Parazumparazum...

C'était le printemps. Sous un ciel de nébulosités tendres, Domenico, Rita, Silvia et Ricardo partis de leur quartier romain des Prati, Giovanna et Maria partis de celui de Testaccio, Frédérique et Roberto de l'aéroport Leonardo da Vinci et Cédric Rottheimer de même, et Jean Kopa de Ferrare, tous progressaient à travers la campagne toscane. Tous roulaient vers Saturnia, et tous avaient appris, à la naissance ou plus tard, une langue où pour dire d'une chose qu'elle est vraiment sûre, on ajoute : « comme la mort ».

2

Le complot derrière le complot

En jean, tennis et polo chic, un sac de sport à la main, Jean Kopa paya la caissière, franchit un portillon, se retrouva entre deux rangées de portes, constata que les femmes allaient à gauche et les hommes à droite et, obéissant à l'injonction sexuée, poussa une porte, se retrouva dans un réduit équipé d'un banc étroit et de portemanteaux. Tirant du sac une enveloppe épaisse de papier kraft, il la posa sur le banc, puis poussa une deuxième porte, découvrit un vestiaire où des mâles d'âges divers plus ou moins déshabillés, debout ou assis, rangeaient ou récupéraient leurs affaires dans des casiers alignés perpendiculairement aux cabines. D'autres, en maillot de bain, se dirigeaient vers le fond de la pièce et Kopa leur emboîta le pas. Quoiqu'il fût le seul à rester habillé, personne ne lui accorda davantage qu'un bref regard. Continuant à avancer, il eut à droite des toilettes, à gauche des douches, poussa un large battant, et découvrit, entourée d'un portique, une piscine qu'un canal où l'on pouvait circuler à trois de front faisait communiquer avec un grand bassin à ciel ouvert dans lequel trois douzaines de personnes papotaient. Au-delà, d'autres vasques, des pelouses, des chaises longues, des peignoirs, beaucoup de vapeur et de monde.

Dans le sac de sport qu'il tenait au bout du bras droit, Kopa transportait, sous une serviette de bain, un pistolet semi-automatique autrichien muni d'un réducteur de son, le modèle Glock 19 particulièrement résistant à l'eau, ainsi qu'un pistolet-mitrailleur belge FNP90, avec son remarquable chargeur translucide de 50 cartouches, au design inhabituel favorisant la maniabilité de l'arme.

Cédric Rottheimer se pencha légèrement en avant pour laisser la cascade lui masser lourdement les deltoïdes. Sur son corps puissant et gras et large, l'eau rebondissait des deux côtés, jusqu'à ses voisins de droite et de gauche, une femme et un homme. Lui aussi n'accorda qu'un regard à l'homme habillé qui venait d'apparaître au bord du premier bassin. Après avoir photographié Frédérique Play et Roberto Benedetti entrant dans leur chambre du Saturnia Tuscany Hotel, puis dans la piscine de 25 mètres de l'établissement, puis dans l'une de celles des thermes, en contrebas de l'hôtel, Rottheimer avait, de sa voiture, expédié au cocu conscient les clichés en fichier attaché. Après quoi, il avait rangé l'ordinateur dans le coffre de sa voiture et décidé que, sa journée de travail étant terminée, puisqu'il était là, autant en profiter. Il avait appelé au Centre de ressources de l'ambassade de France son amant Fabrice Ledhuis, qui avait accepté gaiement l'invitation à le rejoindre dans les eaux chaudes. « Je serai là dans deux heures environ », avait-il assuré. Deux heures trente étaient passées mais Cédric Rottheimer ne s'attendait pas à le voir avant une bonne heure encore. Il ferma les yeux, s'abandonnant à la rencontre du fluide et de la chair, gagné par une demi-somnolence, l'odorat occupé par la puanteur douceâtre, l'ouïe par le bruit des conversations des clients entrecoupées de rires et de cris d'enfants.

Il ne vit donc pas que l'homme habillé avait commencé à courir, en sortant de son sac un objet métallique.

Plus tard, à peu près à l'heure où l'amant de Cédric Rottheimer aurait dû le rejoindre sous la cascade soufrée, on n'entendait plus ni conversations, ni rires, ni cris, c'était à peine si le grand silence régnant sur les thermes était interrompu parfois par les échanges à mi-voix d'une vingtaine de fonctionnaires de la police scientifique en combinaison blanche, en train de s'affairer, agenouillés ou debout, maniant pincettes, pinceaux, épuisettes, appareils photo, remplissant des dizaines de pochettes de plastique aussitôt scellées. À un moment, toutefois, deux ou trois des policiers levèrent la tête pour repérer d'où venait le bruit d'hélicoptère qui approchait.

En émergeant du vestiaire d'où Jean Kopa était sorti une heure plus tôt, la commissaire Simona Tavianello écarta de son œil droit une mèche de sa crinière vieil ivoire pour mieux embrasser du regard les thermes. Comme elle avait fréquenté les lieux deux ou trois fois par an pendant une dizaine d'années, son cerveau se représentait sans mal ce que sa rétine ne percevait pas, de sorte qu'elle eut d'emblée une vision d'ensemble, où ce qui était vu et ce qui était représenté se confondaient, vision aussi précise et pas moins juste que celle des deux hélicoptères en vol circulaire au-dessus de sa tête. L'un des appareils avait été affrété par une des chaînes de télévision italienne appartenant au Premier ministre, l'autre par une des chaînes étatiques sous son emprise directe. Les yeux sous influence oligarchique et ceux de la fonctionnaire de police aux épais cheveux blancs voyaient donc en principe la même chose : un réseau de bassins reliés par des canaux, où l'eau circulait à 27 °C.

La première piscine était entourée d'un portique garni de chaises longues et de fauteuils en plastique, l'eau restant à ciel ouvert, comme le reste des installations. On accédait à la seconde vasque, de proportion plus vaste, par un canal où trois personnes pouvaient circuler de front. Dans un coin, de plusieurs orifices l'eau surgissait sous la surface : c'était le coin préféré de la commissaire et de son mari, il leur était arrivé souvent d'attendre de longues minutes qu'un client libère la place pour aller s'installer à leur tour sous la pression du jet. Mais on avait détourné le cours de la source, l'eau stagnait dans toutes les piscines et un grand silence régnait. Simona Tavianello contourna un homme et deux femmes en combinaison blanche et masque de chirurgien. L'un prenait des photos, les deux autres des mesures. Là commençaient les traces de sang autour desquelles travaillait la police.

En avançant sur le sol dallé, la commissaire longea, sur sa gauche, le bassin dit des enfants, peu profond, agité en temps ordinaire de nombreux micro-jaillissements. Sur sa droite, le deuxième grand bassin, qu'on quittait par une vasque d'habitude bouillonnante et très encombrée d'amateurs de remous, avant d'accéder au troisième, le plus grand de tous et le dernier. En bifurquant à droite, sur le passage entre les deux grandes étendues d'eau, Simona arriva à la hauteur d'un énorme champignon de ciment au pied duquel on s'asseyait pour recevoir l'eau sur la tête et les épaules.

— C'est quoi, ça ? demanda-t-elle à un policier de la Scientifique en montrant des matières brunâtres qui flottaient dans le liquide immobile de la vasque.

L'homme tourna vers elle son visage fatigué et ses lunettes embuées de vapeur.

— Des gens qui ont défé…, commença-t-il ; puis comme s'il renonçait d'un coup à la bienséance : Ils ont chié de trouille, dit-il et il s'accroupit, contemplant un instant le paysage de chaises longues renversées, sorties de bain souillées de sang, sacs et vêtements et jouets et livres abandonnés en désordre, avant d'ajouter : Un beau merdier, c'est le cas de le dire, hein ?

La commissaire soupira, hocha la tête et poursuivit sa route jusqu'au bout du réseau aquatique. Le lieutenant de carabiniers Licata l'y attendait, au bord d'une piscine fermée par un mur, d'où, en temps normal, un alignement de cascades emplissait l'espace de sa rumeur. C'est là que Cédric Rottheimer avait croisé le regard de l'assassin.

Il était en train de penser à des choses insignifiantes, comme à ce qu'il dirait tout à l'heure à Fabrice, à savoir que l'endolorissement du sterno-cléido-mastoïdien devrait être reconnu comme une maladie professionnelle, le mal au cou étant la conséquence presque inévitable de positions périlleuses que tout enquêteur privé devait prendre pour photographier des preuves. Penchant la tête sur le côté pour offrir le muscle intéressé à la chute de l'eau, il avait ouvert les yeux.

Et vu les yeux clairs de l'homme aux cheveux blonds à reflets roux, qui le fixait en braquant sur lui une arme munie d'un réducteur de son. Un Glock, nota-t-il machinalement.

— Arrêtez-le ! Il va tirer !

Le cri avait retenti sur sa droite, c'était une femme blonde qui l'avait poussé. Les yeux cillèrent, le pistolet dévia avec le regard, il y eut une détonation.

Des éclaboussures rouges, dans le coin gauche de son angle de vision. L'homme s'éloignait à la course. Il y eut un bruit de rafale pendant que Rottheimer se précipitait vers le corps de la femme pour le sortir de l'eau mais, voyant l'état du crâne, il le lâcha.

— Et ce Rottheimer, l'enquêteur privé, vous l'avez laissé repartir ? demanda la commissaire Simona Tavianello au lieutenant Licata.

Les mots avaient dû lui venir avec plus d'agressivité que prévu car son interlocuteur, avant de répondre, prit le temps de retirer ses lunettes, de se frotter la tempe droite du bout d'un doigt et de soupirer, mimique manifestement destinée à lui rappeler la nécessité de la courtoisie entre services.

— Oui, on l'a laissé rentrer à Rome. Nous avons ses coordonnées, il s'est montré parfaitement coopératif, il s'est dit prêt à répondre à toute convocation, nous n'avions pas de motif pour le retenir.

— Oui. Je veux dire, non, vous n'aviez pas de raison. Alors, qu'est-ce que vous me racontez sur lui ?

— Pour aller plus vite, j'ai téléphoné à un collègue français, un ami à moi qui travaille à la préfecture de police de Paris, il a pu me confirmer les dires de ce témoin. Rottheimer a quitté la police à la suite d'une affaire de ripoux et de protection de personnalités impliquées dans des crimes très graves[1]. Bien qu'il ait été du côté des incorruptibles qui ont dénoncé le scandale, il a préféré quitter la profession.

— « Bien que » ? Pourquoi pas « Parce que » ?

— Pardon ?

— Pardon, continuez.

— En France, il est devenu enquêteur privé, avec un certain succès, apparemment, mais ensuite il est tombé amoureux d'un informaticien — oui, j'oubliais, il est homosexuel —, un type en contrat avec l'ambassade de France et il y a deux ans, il l'a suivi en Italie. Il a commencé à travailler chez nous, apparemment sans trop de mal, il parle bien italien. Là, il venait d'accomplir une mission pour un certain…

Licata baissa les yeux sur un bloc-notes.

— … Play. Ressortissant américain domicilié à Paris. Il devait suivre l'épouse de ce monsieur, Frédérique, qui se trouvait en compagnie de son amant, un certain Roberto Benedetti et les filmer dans des situations compromettantes. Classique, sauf qu'il devait ensuite envoyer les images à ce M. Henry Play qui est, paraît-il, un artiste de renommée internationale.

— Son nom me dit quelque chose.

— À moi non, mais je ne suis qu'un petit lieutenant de carabiniers. Donc, ce Play présente lundi à

1. Voir *Au fond de l'œil du chat,* Éditions Métailié.

Paris dans une grande galerie une exposition intitulée « La Trahison trahie » et dans le cadre de cette expo, il comptait montrer sur grand écran des images de son cocufiage. Oui…, précisa Licata en voyant la commissaire secouer la tête, c'est de l'art… Donc, Rottheimer a filmé les amants arrivant à l'hôtel des thermes, puis dans la piscine de l'hôtel, puis ici. Il a ensuite envoyé les images à Play. Il m'a remis un double de ce qu'il a filmé sur une clé USB, le passage dans la piscine évidemment nous intéresse, même s'il avait arrêté de filmer avant l'arrivée du tueur. Nous lui avons promis la confidentialité, bien sûr.

— Vous n'avez pas mis son ordinateur sous séquestre ?

— Ah bah, non, pourquoi ? Il n'est pas suspect, non ?

Simona leva les yeux au ciel, où deux nouveaux hélicoptères étaient apparus. L'un d'eux se rapprocha du sol, se mit en vol stationnaire. Après avoir suivi la manœuvre quelques secondes, la commissaire demanda :

— Et le document trouvé dans les vestiaires ? Je peux le voir ?

— C'est la police scientifique qui l'a mais…

Le bruit de rotor emplit tout l'espace, Simona n'entendit plus rien. Un appareil descendait, disparaissait de l'autre côté des bâtiments. Un carabinier surgit, talkie-walkie à la main.

— Lieutenant, le ministre est là.

— Il faut y aller, dit Licata puis, à l'adresse de son subordonné : Tout le monde est là ?

— Oui, le général, le chef de la police, les proc',

le questeur... on n'attend plus que vous... et le ministre.

— On y va, marmonna Simona en fixant une tache de sang, au bord du bassin, entourée d'un trait de craie blanche.

À côté de la tache, dans une pince au bout d'un support métallique, une plaquette portait le numéro 24. La commissaire ferma sa veste de léger lainage. Malgré la tiédeur de l'air et les vapeurs chaudes, elle avait un peu froid.

Dans sa chambre de l'hôpital Misericordia de Grossetto, Giovanna fixait l'écran de télévision. Elle avait eu une vive discussion avec le psy qui lui conseillait de « prendre des calmants et d'essayer de dormir ». Elle avait fini par accepter de prendre une barrette de Bromazépam mais ses yeux restaient bien ouverts.

À l'écran, une chaîne propriété du Premier ministre (à moins qu'elle fût seulement sous sa coupe) montrait les thermes de Saturnia vus du ciel. Dans le coin gauche, on mentionnait que c'était en direct. « En ce moment même, disait-on, une importante réunion se tient dans une salle de l'établissement, à laquelle assistent le ministre de l'Intérieur, le procureur de la Direction de district antimafia, M. Bianchi, qui va assurer la direction des enquêtes en raison du caractère manifestement terroriste du crime, son supérieur le procureur général de la Direction nationale antimafia, le juge Prontino, ainsi que la commissaire Simona Tavianello, qui dépend elle aussi de la Direction nationale antimafia, et des représentants des carabiniers, de la Digos, du ROS, ainsi que le

45

dottore Febbraro, directeur du DIS, le Département des informations pour la sécurité[1]... »

Puis il y eut des images confuses de voitures de police, de carabiniers et d'ambulances allant et venant, de gyrophares et d'hélicoptères, de policiers scientifiques en combinaison blanche et de policiers encagoulés en combinaison de tissu noir. Ensuite, d'une voiture noire à gyrophare émergea, le visage crispé sur un demi-sourire, une femme de plus de cinquante ans, au visage rond, au corps empâté, aux traits délicats, vêtue d'une robe d'été et d'un gilet de laine sans manches. L'objectif suivait sa marche muette, encadrée de caméras, de perches et de micros. « À son arrivée, la commissaire Simona Tavianello a refusé de répondre à nos questions concernant la présence d'un mystérieux document laissé par le tueur et qui permettrait de relier l'attentat à al-Qaida. »

Regard planté dans l'œil de la caméra, debout sur fond de parking envahi de camions aux sigles de chaînes du monde entier et munis d'énormes antennes paraboliques dressées vers le ciel, un commentateur répétait pour la dixième fois le bilan provisoire : « Trois morts, toutes des femmes et sept blessés graves, dont une fillette de treize ans. » Il enchaîna sur ce qu'il appelait « un massacre commis par un seul homme avec une froideur qui a frappé tous les

---

1. Récapitulons. DDA : échelon administratif de la DNA, Direction nationale antimafia, compétente aussi dans les affaires de terrorisme. Digos : division des enquêtes générales et des opérations spéciales, police politique. ROS : service des opérations spéciales, unité de carabiniers chargée des affaires politiques, DIS : Département des informations pour la sécurité, qui coiffe l'Aise, service secret tourné vers l'extérieur des frontières, et l'Aisi, vers l'intérieur. Profitons de cette note pour signaler qu'il y a une liste des personnages en début de volume.

témoins ». Puis les studios de Rome l'interrompirent pour annoncer que le Premier ministre, depuis L'Aquila où il venait d'inspecter les derniers préparatifs du G8, allait faire une déclaration avant de rentrer immédiatement à Rome.

Giovanna coupa le son. Sa main droite lâcha la télécommande pour se poser sur son épaule gauche. Celle-ci était bandée, ainsi que le bras. Elle pensa au corps d'un chat abandonné au bord de la route puis à celui de Maria dans la chambre mortuaire. Ses doigts se crispèrent sur le pansement, elle sursauta de douleur, murmura : « petite chose pleurnicharde ».

Mais ses yeux étaient secs.

Au même étage, Ricardo toussa dans son sommeil artificiel et son père, assis à son chevet, se pencha sur lui, jeta un coup d'œil à la perfusion, au pansement de la tête et, le souffle de son fils redevenant régulier, il s'efforça de décrisper les muscles de son dos. Depuis que des civières avaient emporté sa fille comateuse et sa femme morte, il avait mal, une douleur qu'il n'avait connue qu'une fois, au lendemain de leur déménagement aux Prati, dans le nouvel appartement si lumineux.

En grimaçant, Domenico Gardonni se mit debout pour aller demander des antidouleurs à l'infirmière. Il jeta un coup d'œil à son portable. À peine un quart d'heure était passé depuis qu'il avait contacté le service de neurochirurgie de l'hôpital Gemelli de Rome, où sa petite Silvia avait été transportée. Il n'allait pas rappeler maintenant.

Quand l'infirmière lui eut donné du paracétamol (« je n'ai pas le droit », murmura-t-elle en lui glissant les cachets dans la main) et après avoir décliné une fois de plus la proposition de voir un psychologue, il retourna s'asseoir près de son fils. Un élancement dans le dos lui fit grincer des dents. Dans les heures qui suivirent, au chevet du garçon inconscient, il consacra l'essentiel de ses énergies à grincer des dents et à empêcher des souvenirs de remonter à sa conscience.

Tandis qu'au-dehors la journée de juin n'en finissait pas, la pénombre régnait dans la pièce et, sur le lit sans draps, deux corps immobiles emmêlaient leurs membres. Le visage de Fabrice Ledhuis reposait sur la grande main de Cédric Rottheimer. Ils avaient fait l'amour une demi-heure plus tôt et depuis Fabrice dormait et Cédric le regardait dormir. Malgré les volets clos et les doubles fenêtres, klaxons, ferraillement et sonnerie du tram, moteurs de bus et de voitures redémarrant aux feux, le fleuve sonore de l'avenue Trastevere éclaboussait la rue de la Septième-Cohorte et pénétrait à peine assourdi dans l'appartement. Un avertisseur de camion qui ressemblait à une corne de brume sonna longuement et Fabrice gémit, puis poussa des fantômes de mots hors de ses lèvres gonflées. Le sexe de Cédric durcit. Doucement, il retira sa main engourdie et passa un doigt sur le si beau profil. Puis il se leva.

Dans la pièce voisine, où il commença à ramasser ses vêtements, la télé était allumée, son coupé. L'appareil était réglé sur une chaîne d'informations italienne en continu et à l'instant où il posa les yeux sur l'écran, une exclamation incrédule lui échappa. Il reconnaissait les images. C'étaient celles qu'il avait tournées. Le bassin abrité, celui dit des enfants, la fontaine-champignon, la piscine bouillonnante, les vapeurs… Les visages étaient floutés, mais il reconnaissait parfaitement Frédérique Play et son amant. Il mit le son, le baissant aussitôt pour ne pas réveiller Fabrice.

« Ces documents exclusifs ont été tournés par un enquêteur privé qui, coïncidence extraordinaire, se trouvait là pour recueillir les preuves d'une liaison extra-conjugale. »

Putain, les fumiers ! grogna Rottheimer avant de couper le son et de commencer à composer un numéro sur son portable.

Jean Kopa utilisa des expressions d'une égale grossièreté, alors qu'il prenait la bretelle de l'autoroute pour Naples, à la hauteur de Fiumicino. Il venait d'écouter à distance, sur son portable, le répondeur d'un numéro de téléphone fixe situé en France. Le message disait :

« Bonjour, monsieur Kopa. Ici le Dr Muselier, j'ai les résultats des examens pour votre sœur et, malheureusement, ils ne sont pas bons. Il va falloir procéder à d'autres tests mais on doit laisser passer quelques semaines. En attendant, nous l'avons remise entre les mains de la dame, l'assistante à domicile qui s'occupe d'elle pendant votre absence… cette dame, attendez que je regarde le papier… Mme Marguerite Maras. Elle avait bien l'autorisation signée de votre main. Elle m'a dit que vous envisagiez de partir en voyage avec votre sœur, mais tant que nous n'avons pas procédé aux autres tests, c'est exclu. Désolé pour votre projet de voyage mais ce ne sera pas, au mieux, avant deux mois. »

En passant à la hauteur d'une bretelle qui aurait pu lui permettre de faire demi-tour et de prendre l'autoroute pour l'aéroport de Fiumicino, Kopa ralentit, mit le clignotant puis, presque aussitôt, l'éteignit et accéléra. Pour son départ, il irait à Naples au moins pour préparer le terrain, décida-t-il.

Autour de la table où se tenaient d'ordinaire les réunions du conseil d'administration des thermes de Saturnia, il y avait une douzaine d'hommes et trois femmes. Une seule, la commissaire, était assise.

— C'est qui, la petite grosse à cheveux blancs ? s'enquit Febbraro à l'oreille du patron de l'Agence d'information et de sécurité intérieure. On me l'a présentée, mais j'ai déjà oublié.

— Commissaire principale Simona Tavianello, elle est cul et chemise avec le proc' Bianchi. Une chieuse de première.

— C'est elle qui va mener l'enquête ?

— Je le crains.

En guise de commentaire, Febbraro se contenta d'une grimace : pour la première fois depuis le début de la réunion, le ministre prenait la parole.

— Qu'est-ce que c'est, cette histoire de document d'al-Qaida ? demanda-t-il avec son pesant accent padan.

Le procureur général se tourna vers le procureur de district qui fit un signe de menton à l'adresse du lieutenant Licata, qui toussota.

— Il ne m'apparaît pas…, commença le carabinier d'une voix incertaine, puis il se reprit, parla d'un ton plus ferme : Ce sont des extrapolations de la presse. Tout ce que nous avons trouvé, qui semble bien avoir été laissé dans une cabine par le tueur, c'est ceci. Il brandissait un objet sous plastique, portant les scellés de la Scientifique. Le ministre fit un mouvement de l'index et le paquet passa de main en main, jusqu'aux siennes. À travers le plastique, il examina la chose. Un paquet de feuillets, avec une inscription en première page :

Top Secret/U.S. Department of Justice/Office of Legal Counsel/Office of the Assistant Attorney General/Memorandum for John Rizzo Acting general Counsel of the Central Intelligence Agency/Interrogation of Al Qaeda Operative.

— C'est quoi, ça ?

Le carabinier se racla la gorge, guettant son supérieur, le général Dazieri, lequel regardait ailleurs. Ce fut la commisaire qui répondit :

— Le mémorandum par lequel le Département d'État fournissait à la CIA un argumentaire juridique autorisant certaines formes de tortures pour les membres d'al-Qaida. Le document a été déclassifié, il est téléchargeable sur Internet. Ça ne veut rien dire. Ou plutôt, ça veut dire quelque chose mais quoi ?

Le lieutenant Licata regardait ses mains posées à plat sur la table. Le ministre resta quelques secondes le regard vide, l'air vaguement hébété, on eût dit Bush après avoir appris l'attaque des tours jumelles. Puis il regarda sa montre.

— Ce que cela veut dire, ce sera à vous, les enquêteurs, de le découvrir, déclara le ministre. Je compte sur vous. L'Italie tout entière compte sur vous. Attention, n'est-ce pas, dans une affaire pareille, les guéguerres entre services ne sont pas de mise. Je ne les tolérerai pas. Que ce soit dit une fois pour toutes.

Il se leva, lissa sa cravate, passa une main sur ses moustaches.

— Je vous remercie. Je dois maintenant tenir la conférence de presse. Poursuivez sans moi.

Le procureur général de la DNA et le général des carabiniers se levèrent à leur tour.

— Tu ne viens pas ? demanda le ministre à Febbraro, qui ne bougeait pas.

Sous le cheveu savamment argenté, le visage bronzé et carré du directeur du Département des informations pour la sécurité n'exprima rien, comme à son habitude.

— Non, je délègue mon assistant, dit-il avec un geste vers le cravaté assis derrière lui.

Quand le ministre, son escorte et les autres dirigeants furent sortis, le chef du DIS lança, goguenard :

— Bon, si on travaillait ?

Un portable sonna. Avant que le lieutenant Licata s'aperçoive que c'était le sien, il y eut un échange de regards agacés puis le carabinier extirpa l'appareil de sa poche interne, il allait l'éteindre quand, voyant le nom affiché, il se leva en marmonnant « excusez-moi » et gagna un coin de la pièce.

Febbraro se tourna vers la commissaire Simona :

— Vous avez raison, la présence de ce dossier ne prouve rien, ni dans un sens ni dans un autre. Mais que pensez-vous de ceci...

De la poche de son costume, il tira un papier plié en quatre, puis de la pochette de poitrine, un étui à lunettes. Les lunettes étaient dorées, de la même sobriété luxueuse que la montre suisse et les boutons de manchettes. Quand il les eut mises, il leva le nez pour considérer ses interlocuteurs par-dessus les verres.

— C'est la traduction d'un texte en arabe qui nous a été envoyé par mail depuis un cybercafé de Milan. Nous avons vérifié, la personne qui l'a envoyé utilisait de faux papiers[1].

Le chef des services de renseignement se tourna brièvement vers Licata, qui était revenu s'asseoir :

— Donc, d'après les témoignages, le massacre a eu lieu vers 13 h 10 ?

Licata acquiesça.

— Et n'a duré guère plus de quatre minutes ? Nouvel acquiescement.

— Le message a été expédié à 13 h 20. Je lis…

« Communiqué à propos de l'Expédition Badr en terre des incroyants.

Louange à Allah, qui élève l'Islam par Son Secours, qui gère les événements par Son ordre et qui punit les mécréants par Son stratagème.

Prière et Salut sur celui dont Allah utilisa l'épée pour élever la lanterne de l'Islam.

Aujourd'hui, an 1429 du prophète, le 7 jumada l'Akhira, à la veille de la réunion des principales nations mécréantes qui font la guerre au peuple des Croyants, appelée G8, voilà que nous annonçons la bonne nouvelle à la nation de l'Islam en général et à nos frères moudjahidin en particulier, de la punition des mécréants de l'Italie frappés en un lieu de débauche. Après une planification minutieuse et une bonne préparation, un combattant de l'Islam a attaqué un lieu de débauche et de nudité impie, lesdits bains

---

1. En Italie, il faut présenter des papiers d'identité pour utiliser les ordinateurs des cybercafés.

thermaux de Saturnia, où il a tué au moins trois débauchés et en a blessé un grand nombre.

Ceci est un premier avertissement au peuple d'Italie et de toutes les nations mécréantes qui se réunissent à L'Aquila : vos gouvernements font souffrir sous les bombes et sous les balles nos combattants d'Afghanistan, nos frères étudiants en religion et notre sainte organisation. Retirez vos troupes du saint sol de la nation de l'Islam ou nous vous frapperons encore. Que les croisés et les renégats tremblent. Par Allah, nous ne déposerons nos épées ni ne savourerons la vie, jusqu'à ce que nous ayons libéré chaque pouce de la terre de l'Islam de tout croisé et de tout renégat, et jusqu'à ce que nos pieds foulent notre Andalousie perdue et notre Jérusalem retrouvée.

Ô musulmans, recevez la bonne nouvelle que la nuit des oppresseurs tend à disparaître et que l'aube de la vérité arrive.

Allah, défais les Juifs, les Chrétiens et leurs agents renégats.

Allah est le plus grand ! »

Questa mattina mi son svegliato
oh bella ciao, bella ciao, bella ciao, ciao, ciao…

Jean Kopa vit le nom du correspondant et mit quelques secondes pour prendre la communication, car il n'était pas habitué à son nouveau portable.

Oh partigiano, portami via
oh bella ciao, bella ciao, bella ciao, ciao, ciao,

oh partigiano, portami via,
che mi sento di morir[1].

Kopa leva les yeux au ciel en écartant les bras, paumes ouvertes mais portable coincé par le pouce, à quoi son interlocuteur, un mince Asiatique au menton en galoche prolongé d'un gros grain de beauté d'où pendait un long poil, répondit en souriant légèrement avec un bref et léger mouvement de va-et-vient des mains dressées devant son visage, paumes tournées vers l'extérieur. Le tout dura moins de temps qu'il n'en faut pour décrire l'échange muet signifiant « excusez-moi » et « je vous en prie ».

— Je croyais que le retex, c'était à 20 heures ? dit Kopa dans l'appareil.

— Urgence. Qu'est-ce que vous foutez à Naples ?

Les paupières de Kopa se plissèrent, une veine visible battit plus fort à sa tempe. Il inspira, expira, avant de répondre :

— Je suis venu acheter un cadeau pour ma sœur. Elle collectionne les personnages de crèche.

— Vous la traitez mal, votre sœur, lança l'interlocuteur sur un ton d'une jovialité outrageusement fausse, si vous lui achetez des crèches de contrefaçon chinoise !

Kopa eut un léger sursaut, il se leva avec une nouvelle mimique à l'Asiatique et s'écarta du bureau derrière lequel ce dernier était assis, pour aller jeter un coup d'œil par la fenêtre. Trois voitures venues de différentes ruelles bloquaient la circulation et ten-

---

1. Ce matin, je suis réveillé/ oh ciao ma belle…/ Ô partisan, emmène-moi/oh ciao ma belle…/ Ô partisan emmène-moi car je suis prêt à mourir. C'est un des hymnes sacrés de la gauche italienne.

taient de la débloquer en klaxonnant sans fin. Des motocyclettes vrombissaient en montant sur les trottoirs, tandis que les passants engueulaient leurs pilotes. Du triporteur d'un marchand de CD pirates garé sous les bougies suantes d'un micro-autel d'une Madone de proximité, s'élevaient les cris excités et lourdement rythmés d'une chanteuse black. Tout était normal.

— Je règle aussi quelques affaires personnelles avant de rentrer, marmonna Kopa.

— N'essayez pas de me baiser en disparaissant du jour au lendemain, Kopa. Votre sœur a besoin de vous.

— Je ne comprends pas ce que vous racontez.

— Kopa, mes correspondants sur place ont des informateurs chez Wi-Fi.

— Wi-Ming, dit Kopa à voix basse en jetant un coup d'œil à l'Asiatique ostensiblement plongé dans la lecture de son écran d'ordinateur.

— Oui, Wi-Ming… bon. C'était un avertissement sans frais, énonça sèchement la voix, vous savez maintenant que je suis au courant de vos tentatives de vous préparer une voie de sortie. Comme je vous l'ai déjà dit, je ne suis pas opposé à ce que vous raccrochiez mais j'ai encore besoin de vous pour deux, trois missions et vous ne partirez pas sans mon autorisation, nous sommes toujours d'accord ?

— Oui.

Le correspondant soupira.

— C'est pas pour ça que je vous appelle, dit-il sur un ton plus détendu. J'ai un autre boulot urgent pour vous.

— Quand ça ?

— Le plus tôt sera le mieux. Et c'est à deux pas de

là d'où vous venez. Une seule unité à soustraire. Mais vite.

— Combien ?

— La même somme que pour la précédente opération.

— D'accord. Vous m'envoyez les détails à l'adresse libre, conclut Kopa avant de couper.

Puis il jeta le portable à terre, l'écrasa à coups de talon, récupéra carte Sim et batterie, et revint à la table.

— En conclusion…, reprit Kopa.

L'Asiatique au spectaculaire grain de beauté n'avait paru prêter qu'une attention distraite aux mouvements de son interlocuteur.

— En conclusion, reprit-il, M. Wi-Ming m'a chargé de vous dire que votre filière est prête. Pour cent cinquante mille dollars, elle restera à votre disposition pendant un an, vingt-quatre heures sur vingt-quatre. Votre sœur et vous pourrez l'emprunter quand vous voulez.

— C'est une belle somme. Vous en demandez autant à vos compatriotes pour les acheminer dans l'autre sens ?

L'homme esquissa un sourire.

— Leurs conditions de voyage sont moins confortables que celles qui vous attendent. Et pour eux, il y a des délais d'attente. Au cas où le coup de fil que vous venez de recevoir vous inciterait à presser les choses, vous pourriez même partir tout de suite, si votre sœur est avec vous…

Kopa se rassit devant le bureau. Tandis que le tohu-bohu de la *via* Tuputti augmentait encore, il garda le silence, les yeux dans le vague, comme s'il évaluait la proposition. Puis il se pencha pour prendre la mallette qu'il avait posée au pied de la chaise avant d'entamer la conversation.

— Non, dit-il en la posant sur la table, j'ai encore deux, trois choses à faire avant de partir.

Puis il fit claquer la fermeture, souleva le couvercle et y glissa la main gauche pour sortir une liasse de billets qu'il montra à l'Asiatique.

— En euros, ça vous va aussi ?

L'autre hocha la tête et, tandis qu'il tendait le bras pour prendre l'argent, Kopa plongea la main droite sous le couvercle, en retira le Glock muni d'un silencieux et lui tira une balle dans la tête. Puis, prenant appui d'une seule main sur le massif bureau acajou, il bondit par-dessus et, repoussant brutalement le fauteuil et son occupant qui tombèrent sur le côté, il s'accroupit.

Pendant quelques instants, dans la pièce meublée d'armoires sang de bœuf, décorée de lampes aux formes animalières et de céramiques bleues, il ne se passa rien.

Puis la porte s'ouvrit à la volée sur un obèse asiate mais Kopa le liquida d'une seule balle qui, entrée par la mâchoire, ressortit par la nuque. Il lui en fallut deux autres, une dans le genou, l'autre en pleine poitrine, pour en finir avec l'adolescent qui tremblait de terreur, dos plaqué contre la cloison du couloir, incapable de presser la détente de son PM.

Quelques secondes encore, Kopa resta accroupi derrière le bureau. Après quoi, piétinant dans le sang et la matière cérébrale, mais toujours accroupi, il se rapprocha du cadavre de l'Asiatique, le fouilla et extirpa d'une poche un portable. Tout en se relevant, il composa un numéro.

— Michele ? dit-il à la personne qui décrocha après trois sonneries — il avait prononcé le prénom à l'italienne et c'est en italien qu'il poursuivit : Je suis désolé, mais ta filière était pourrie, j'ai dû la nettoyer… Non, pas toute la filière. Son terminal, seulement. Tu ne m'en veux pas ? Je suis bien content que tu ne m'en veuilles pas… Mais moi si, je t'en veux. Si je te revois, je t'arrache ta grosse tête de bite de pédale de merde.

Puis il piétina le portable. Mais il l'avait fait par habitude et il ne prit pas la peine cette fois de retirer carte et batterie.

À travers les rideaux transparents, la lumière de juin éclairait Febbraro dans le dos, interdisant de scruter son visage.

— Donc, vous n'êtes pas convaincue que la piste al-Qaida soit la bonne ? conclut-il lorsque la commissaire Tavianello eut terminé ses explications, au terme d'un tour de table.

— En effet, répondit-elle en jouant avec son stylo quatre-couleurs sûrement acheté dans un tabac, à la différence des nombreux Mont-Blanc posés sur la table devant leurs propriétaires respectifs, en effet, je ne suis pas convaincue. Cela ne doit pas nous empêcher d'enquêter sur cette piste… comme sur les autres.

Autour de la table, des têtes rentrèrent dans les épaules, des traits se figèrent. Le patron du DIS croisa les mains sous son nez, comme s'il priait quelques instants avant de répondre d'une voix paisible :

— On ne m'a pas menti sur votre compte, commissaire, dit-il avec un coup d'œil vers le directeur du service de renseignement intérieur, vous êtes une... une personne opiniâtre. Au moins, vous admettrez, vu le timing, que la personne qui a envoyé la revendication a partie liée avec le massacre.

— Monsieur le directeur...

Simona prit le temps de ranger son stylo et son bloc-notes dans son sac à main avant de finir sa phrase :

— Monsieur le directeur... ce ne serait pas la première fois dans l'histoire de notre pays que les commanditaires d'attentats tentent de semer le trouble avec de fausses revendications. Rappelez-vous la Phalange armée[1], en 1993...

Le procureur de district Antonio Bianchi, seul mâle présent non cravaté, prit l'écharpe blanche de coton très fin qu'il avait posée sur la table et se l'accrocha au cou sans la nouer. Vêtu de matière brute et d'élégante sobriété, l'œil clair, les traits réguliers, discrètement bronzé, il formait un duo contrasté avec son enquêtrice bougonne et mal fagotée. Il jugea le moment venu d'intervenir :

— Simona, je crois qu'il est inutile de se perdre en hypothèses, tant que nous n'avons pas plus avancé dans les vérifications. Mais vous admettrez que nous sommes dans une période délicate, avec le sommet du G8, et que nous devons absolument suivre aussi la piste terroriste.

---

1. Le sigle « Falange armata » a été utilisé en 1993 par la mafia sicilienne pour « couvrir » une campagne d'attentats et, selon certaines sources, ce sigle recouvrait un groupe de choc formé d'anciens des services secrets.

Le procureur général de la DNA, qui était revenu après s'être fait photographier au début de la conférence de presse du ministre, se leva en flattant sa cravate bleu pétrole :

— Bianchi a raison. Pour l'instant, je lui laisse le soin de superviser l'enquête de la *dottoressa* Tavianello, dont nous connaissons les qualités professionnelles. Tous les services, y compris le lieutenant Licata et ses hommes, seront à sa disposition. Comme l'a dit le ministre, nous comptons sur votre collaboration à tous, carabiniers et services d'information compris. Demain à 14 heures, nous ferons un premier bilan. Inutile de vous dire qu'on attend des résultats.

Le lieutenant Licata tarda un peu à se mettre debout. La commissaire lui adressa un sourire qu'elle voulait amical, mais, craignant qu'il y voie de la moquerie pour le rôle secondaire auquel on l'assignait, elle reprit aussitôt une expression neutre. Celle du patron des services d'information était toujours aussi peu déchiffrable.

On échangea des poignées de main.

Et seul un narrateur omniscient, malvenu dans une époque postmoderne, aurait pu nous faire savoir qu'en serrant dans sa grande main énergique et manucurée les cinq doigts dodus de la commissaire, Febbraro pensa « Sale pouffiasse rouge, on va te niquer la gueule », tandis que Simona songeait « Fasciste de merde, tu crois que je ne te vois pas venir ? ».

Dès qu'ils eurent franchi les grandes portes vitrées des thermes, Bianchi alluma un de ses rustiques cigares toscans, sans se préoccuper des bouffées malodorantes que le zéphyr de juin poussait vers la commissaire.

— Vous croyez possible que les services aient inventé la revendication pour nous laisser patauger sur une fausse piste et se réserver le mérite de découvrir la bonne ?

Derrière les barrières et le cordon de policiers, les caméras les épiaient. La commissaire baissa la tête pour répondre, de manière qu'on ne puisse déchiffrer le mouvement de ses lèvres sur des images au ralenti.

— Je les crois capables de tout, marmonna-t-elle d'un ton qui, s'ajoutant à la tête baissée, lui donnait l'air d'un de ces paranoïaques qu'on croise parfois dans la rue, et qu'on fuit.

— Écoutez…, attaqua le procureur, puis il se retourna vers les portes qui, déclenchées par leur présence dans le rayon d'un œil électronique, s'ouvraient et se refermaient. Écoutez…, reprit-il sans bouger, tout au plaisir de souffler une bouffée puante, je sais ce que vous pensez de Febbraro, de son rôle au G8 de Gênes mais je pense qu'à l'époque il n'a fait que tenter de couvrir les conneries de ses hommes. Je suis sûr que c'est un homme intègre.

— Une bonne part de ce qui pourrit la vie des gens depuis des siècles est l'œuvre de gens intègres.

Le procureur gloussa, fit tomber la cendre de son cigare à ses pieds.

— Vous n'avez pas tort, mais évitez de sortir ça à mes collègues magistrats, il ne faut pas toucher au credo des croisés anticorruption. Mais qu'est-ce qui vous rend si sûre que ça ne peut pas être al-Qaida… ou un groupe islamique local qui reprendrait le sigle à son compte ?

La commissaire se déplaça pour tourner le dos à la caméra et parler en regardant en face son interlocuteur.

— Le comportement du tueur. J'ai parcouru les témoignages recueillis par Licata et ses hommes. Aucun doute. C'est un professionnel de haut niveau. Un spécialiste. Pas un excité religieux. Je n'ai pas évoqué 93 par hasard.

— Vous pensez à la mafia ? Attention de ne pas vous laisser influencer par votre champ habituel d'investigation.

Simona Tavianello se passa une main sur le visage, écarta une mèche blanche et, devant la lueur douce des yeux noisette, le procureur se souvint qu'elle était mince quand il l'avait rencontrée et qu'à l'époque elle était vraiment jolie. Puis, comme c'était un homme de progrès, il s'en voulut de cette pensée.

— J'ai comme une intuition, articula la commissaire. Et j'ai l'impression qu'elle est partagée. Par vous et par Prontino.

Bianchi plissa le front, dévisagea la policière. Puis, prenant un air pensif, il aspira une dernière bouffée avant de laisser tomber son demi-toscan et de l'écraser.

— Expliquez-vous mieux.

Simona Tavianello remonta la bandoulière de son sac à main qui avait glissé sur la manche de sa robe et croisa les bras.

— Ça m'a frappée, que Prontino ait décidé de me laisser l'enquête, à moi qui suis spécialisée depuis dix ans dans les affaires de mafia, au lieu de la confier directement à l'antiterrorisme. Et que vous ayez eu l'air de trouver ça naturel, aussi. Peut-être avez-vous des informations que vous préférez ne pas me communiquer pour l'instant.

Le procureur de la Direction de district antimafia se dirigea vers sa voiture, accompagné par la commissaire. Il attendit d'être arrivé à la hauteur du véhicule pour rapprocher son visage de celui de la policière et lui dire à mi-voix :

— Depuis le temps que nous travaillons ensemble, Simona, nous avons rencontré tant d'affaires qui cachaient un complot dans les appareils de l'État, avec souvent un complot derrière le complot, que nous avons peut-être trop tendance à en voir partout. Pour l'instant, le mieux serait que vous vous confrontiez aux éléments factuels de l'enquête. Dans un deuxième temps, il faudra peut-être qu'on réfléchisse ensemble.

Puis, comme le chauffeur sortait de la voiture et lui ouvrait la portière, il ajouta, à voix haute, sur un ton tout autre :

— Bon, enfin, évitez les conflits inutiles. Il faut des résultats, vite, à donner aux médias. Sinon, la confiance de Prontino risque de s'épuiser vite.

Puis il lui souhaita bon courage et monta dans la voiture. À peine assis, il sortit son portable. La commissaire retourna vers le bâtiment du centre thermal. Le lieutenant Licata venait à sa rencontre.

— Ah lieutenant, j'ai besoin de vous, lui dit-elle avec toute la chaleur qu'elle put mettre dans sa voix mais elle se demanda aussitôt si elle n'en faisait pas trop (mais quand est-ce que je vais arrêter de faire de la psychologie, se demanda-t-elle ensuite). Je veux visionner tout de suite les images tournées par Rottheimer. Elles sont toujours sous séquestre, n'est-ce pas ? Leur confidentialité doit rester absolue.

Le lieutenant blêmit.

— Hum... commissaire, justement, il y a un problème. À propos de la confidentialité...

— Qu'est-ce qui se passe ?

La voix de Simona Tavianello était devenue glaciale.

— Eh bien... tout à l'heure, Rottheimer m'a appelé, furieux, parce qu'on avait annoncé à la télé qu'un enquêteur privé avait tourné des images peu avant l'attentat. Et ces images ont même été montrées.

— Quoi ? Mais comment les journalistes ont-ils eu accès à ce matériel ?

Licata se frotta vivement la moustache.

— Je n'en sais rien. J'ai demandé une enquête interne. Et... ce n'est pas tout. Un de mes hommes vient de m'appeler. Il paraît que l'identité de l'enquêteur a été balancée, que le nom de Rottheimer circule déjà sur Internet. Apparemment, Play a appris que des images étaient diffusées sur les chaînes italiennes et il a craché le morceau. Il se fait de la pub pour son exposition.

La commissaire croisa les bras et, fixant le lieutenant, elle dit avec un effort perceptible pour contenir sa voix :

— Lieutenant, est-ce que vous vous rendez compte ? Cette histoire de revendication, même pas dix minutes après l'attentat, ça ne vous suggère rien ?

— Ça veut dire qu'il y avait quelqu'un d'autre sur les lieux pour surveiller le déroulement de l'attentat, c'est ça ? répondit le carabinier et comme la policière acquiesçait, il poursuivit : Quelqu'un qui a pu avertir les mandataires ? Quelqu'un qui a peut-être été filmé par Rottheimer ?

— Il habite où, ce Rottheimer ? demanda Simona d'une voix tendue.

— À Rome. Dans le Trastevere.

— Vous avez un poste de carabiniers place San Cosimato, non ?

— Oui, mais…

— Et alors, bordel de merde, siffla la commissaire entre ses dents, qu'est-ce que vous attendez pour envoyer des hommes chez lui ? Moi j'appelle mes collègues du commissariat de la rue San Francesco a Ripa…

Et comme l'autre la regardait d'un air interloqué, elle ajouta, d'une voix de plus en plus forte :

— Vous ne vous rendez pas compte que quelqu'un pourrait s'en prendre à un témoin gênant ? Vous ne vous rendez pas compte que sa vie pourrait être en danger ? hurla-t-elle carrément tandis qu'à Rome, rue de la Septième-Cohorte, à dix minutes de la place San Cosimato et de la *via* San Francesco a Ripa, on sonnait à la porte du privé et que son ami Patrice allait ouvrir.

3

Le message derrière le message

— Qu'est-ce que c'est ? demanda Fabrice à travers la porte.

Hormis une serviette nouée à la taille, il était nu.

— Pizza ! cria une voix gaie sur le palier.

— Pizza ?

Fabrice se tourna vers la salle de bains d'où venait un bruit de douche.

— Chéri ? appela-t-il. Ouh, ouh, tu m'entends ? T'aimes la pizza, maintenant ?

— Quoi ? cria Cédric Rottheimer par-dessus le bruit, puis il coupa l'eau.

— T'as commandé une pizza ?

Il y eut quelques secondes de silence et Fabrice allait ouvrir la bouche pour lui demander s'il ne devenait pas sourd en vieillissant quand son amant jaillit nu de la salle de bains et, de toute sa masse dégoulinante, le plaqua contre le mur à côté de la porte.

— Qu'est-ce qui te…, commença à protester Fabrice puis il vit les yeux de Cédric et le doigt qu'il posait sur ses lèvres.

— Dis rien, bouge pas, chuchota Rottheimer. Surtout bouge pas de là.

Puis il tendit la main vers le meuble bas de l'entrée, ouvrit doucement un tiroir, en tira un revolver Manurhin .357 Magnum, se rapprocha sans bruit de la porte du balcon, l'ouvrit doucement et, tandis que le fracas de la rue envahissait l'appartement, il passa au-dehors, vit que la fenêtre du palier était comme d'habitude entrouverte.

Enjambant une rambarde d'un métal hostile à ses testicules, poussant les vitres, agrippant le rebord de la baie, il se lança dans le vide et tomba lourdement sur le côté, mais à l'intérieur de l'immeuble. Il se redressa d'un bond, braquant le jeune homme en bermuda qui, un carton de pizza à la main, le fixait, les yeux écarquillés.

— Pose ça doucement…, intima-t-il.

L'autre ne bougeait pas. Rottheimer arma le chien et lui colla les dix centimètres de canon à la tempe.

— Allez… Vas-y, pose-le.

Un tremblement violent s'empara de tout le corps du garçon, le carton glissa, tomba, bâilla.

— Lâchez cette arme, hurla une voix.

Une volée de marches plus bas, deux carabiniers en gilet pare-balles braquaient leurs Beretta sur la tête de Cédric Rottheimer qui, doucement, posa l'arme de fabrication française sur le palier et leva les mains.

— Reculez, intima un des deux militaires, dont le visage blanc comme neige suait à grosses gouttes.

Le Français recula, marcha sur quelque chose de tiède et mou, glissa, tomba sur les fesses. Une porte s'ouvrit.

— Ma pizza ! cria sa voisine, une sympathique employée de banque qui cultivait sa ressemblance avec une actrice italienne connue, abonnée aux rôles de moyenne bourgeoise névrosée.

Puis le livreur s'écroula, à genoux, sanglotant.

Ensuite, il y eut un menottage, quelques cris, deux trois coups, de longues explications d'abord hurlées puis à voix normale, la présentation d'un permis de détention d'arme, de virulentes vitupérations de la voisine suivies de la commande aux frais de Rottheimer d'une autre margherita sans anchois, une nouvelle douche pour effacer les taches de tomate à la vue desquelles Fabrice, les prenant pour du sang, avait poussé un cri d'horreur bien compréhensible, de tout aussi compréhensibles reproches véhéments de ce dernier suivis d'une porte claquée, un habillage hâtif, l'arrivée des policiers de la *via* San Francesco a Ripa, une prise de bec entre policiers et carabiniers, les uns et les autres voulant emmener Rottheimer dans leurs locaux, l'irruption de caméras de télévision dans la cage d'escalier, leur refoulement, des cris de protestation au palier du dessus, des portes claquées, des coups de fil et enfin deux heures de calme dans une pièce du commissariat, où Cédric Rottheimer ne savait pas s'il était gardé à vue ou placé sous protection. On l'avait seulement invité à prendre patience, quelqu'un devait lui parler, et on l'avait laissé seul.

Quelques heures plus tôt, un tueur s'apprêtait à le tuer avant de changer d'avis et d'assassiner une femme juste à côté de lui. Des rafales de PM avaient soulevé des gerbes d'eau et de sang, la foule des baigneurs paniqués s'était répandue en grand désordre dans les prés alentour, Rottheimer avait tenté de porter secours à une gamine de douze treize ans au flanc ensanglanté, il lui avait fait du bouche-à-bouche jusqu'à ce que les secouristes l'emportent, puis il avait dû aider le père à maîtriser le frère jumeau de la fillette, qui, agenouillé, se cognait la tête à grands coups sur le rebord de la piscine, avant qu'un urgentiste injecte un calmant au gamin et que des brancardiers l'emportent. On l'avait à son tour examiné et, enveloppé dans une couverture, il avait longuement répondu aux questions d'un lieutenant de carabiniers qui lui avait confisqué la clé USB contenant des images tournées avant le massacre. Après quoi, il était rentré, avait retrouvé Fabrice qui, à force de traîner, était encore à Rome quand Cédric l'avait appelé pour lui annoncer la nouvelle de l'attentat de Saturnia. Ils s'étaient étreints, ils s'étaient aimés, et puis Rottheimer avait découvert que les images qu'il avait remises étaient diffusées à la télévision. Sa vieille habitude des affaires ténébreuses l'avait incité à se sentir aussitôt menacé et quand il y avait eu cette histoire de pizza qu'ils n'avaient pas commandée, il avait réagi avec une belle efficacité professionnelle, ce qui lui avait permis de se couvrir surabondamment de ridicule.

Il y avait de quoi être fatigué et de fait, il l'était. Il somnola, malgré ou à cause de la télévision que les policiers, par gentillesse ou par pur sadisme, va savoir, avaient laissée allumée, réglée, son coupé, sur un canal d'informations en continu. Régulièrement, Cédric Rottheimer pouvait contempler ses fesses mafflues filmées pendant son passage sur le balcon par les caméras des journalistes accourus l'interviewer. Ou alors, c'était une actrice italienne connue, abonnée aux rôles de moyenne bourgeoise névrosée, qui expliquait qu'elle aussi avait frôlé la mort puisqu'elle devait se rendre aux thermes de Saturnia et n'y avait renoncé qu'au tout dernier moment, en raison d'un malaise de son chat.

Une quinquagénaire à la crinière blanche, en robe d'été et veste de laine fine sans manches, entra dans la pièce.

— Je suis la commissaire Simona Tavianello, annonça-t-elle en lui tendant la main. Comment allez-vous ?

— Merveilleusement bien, répondit Rottheimer. On ne peut pas aller mieux.

La policière considéra le visage aux traits camus, la moue butée et elle sentit un large sourire lui venir aux lèvres.

— Qu'est-ce que vous diriez d'aller boire un verre ? demanda-t-elle et, malgré son extrême mauvaise humeur, Rottheimer ne put s'empêcher de trouver le sourire de la femme flic tout à fait charmant.

L'idée fondamentale du christianisme naissant fut la foi à l'inauguration prochaine d'un royaume de Dieu qui renouvellerait le monde et y fonderait l'Éternelle félicité des saints. (…) Ce grand instinct d'avenir a été la force du christianisme, le secret de sa jeunesse sans cesse renaissante (…) Entre toutes les utopies qu'ont fait naître ces appels à une forme nouvelle de l'humanité, la plus originale sans contredit a été la tentative de la secte religieuse et monastique qui, au XIIIe siècle, prétendit réformer l'Église et le monde, et inscrivit hardiment sur son drapeau *Évangile éternel.* (…)

— Monsieur, on vous demande au téléphone.

L'homme ainsi interpellé leva les yeux du numéro du 1er juillet 1866, tome soixante-quatrième, de la *Revue des Deux Mondes* qu'il tenait ouvert entre les mains. Autour de lui, dans une lumière douce, sur les rayonnages centenaires, des millions de mots imprimés se pressaient entre les pages de centaines de volumes habillés de cuir. Sur de longues tables d'un épais acajou, des in-quarto ouverts offraient des vues de la bataille de Lépante, de fines représentations de lépidoptères en vol, des écorchés aux couleurs vives. Des lutrins présentaient de solennels in-folio avec des lettrines infiniment ramifiées, des textes en gothique sans passé, de pompeuses descriptions où l'on ne lésinait pas sur l'adjectif, en évitant l'adverbe.

L'homme interpellé fronça des sourcils très épais et très noirs, cherchant quelque chose du regard. Son interlocuteur, vieux monsieur en costume léger de coupe démodée, lui tendit aussitôt un marque-page orné d'un ancien dessin de souris avec l'inscription « À la critique rongeuse — livres anciens — histoire philosophie gnose ». Rapide et précis, le lecteur inséra délicatement le rectangle de carton entre les feuillets, reposa le tome sur le guéridon Régence devant lequel il était assis, se leva.

— Pardonnez-moi, je ne devrais pas dire à ma secrétaire où je vais quand je viens chez vous. Laisser le portable au bureau ne suffit pas, vous voyez…

— Je vous en prie, monsieur, vous êtes ici chez vous. Vous voulez prendre la communication dans mon bureau ? proposa le vieil homme en lui indiquant un escalier en colimaçon. Vous serez plus tranquille.

L'homme au sourcil épais arborait aussi une chevelure noire abondante, qui descendait sur son col, où se mêlaient d'élégantes et fines mèches grises. Rasée de près, la peau sur le menton et les joues laissait pourtant pressentir une pilosité drue en contraste avec l'impeccable costume sur mesure et la cravate de soie grège sur chemise à fines rayures. Il jeta un coup d'œil autour de lui. Hormis le libraire et l'imposant garde du corps à oreillette près de la porte, il était seul. Néanmoins, négligeant l'appareil posé sur le bureau Régence, il se dirigea vers l'escalier en remerciant d'un signe de tête.

Quelques instants plus tard, dans un boudoir au décor néo-étrusque, où la lumière douce de Paris en juin entrait par une fenêtre à petits carreaux bordés de plomb, il souleva un combiné.

— George ? dit une voix de basse dans son oreille. *How are you ?*

— *Not so well, Gerard. Did you see the news ?*

Gerard passa au français sans abandonner son accent d'Europe centrale :

— L'attentat ? C'est pour parler de ça que vous vous méfiez même de votre téléphone crypté de l'avenue Montaigne ?

— Oui. Je ne suis pas tout à fait sûr des capacités techniques de notre prestataire de service. Mais je vais quand même faire appel à eux dans un domaine qu'ils maîtrisent mieux, je crois. Vous avez un peu approfondi la nouvelle ?

— Oui, j'ai visionné ce qui est disponible dans les médias, et j'ai lu les journaux. J'ai aussi passé quelques coups de fil. Vous pensez que le coup pourrait venir de nos Partenaires ?

Le dénommé George leva les yeux vers une gravure représentant la prise de Jérusalem par Godefroy de Bouillon : le gouverneur de la ville remettait au duc les clés de la tour de David tandis qu'à l'arrière-plan les chrétiens commençaient incendies et massacres.

— C'est une forte possibilité, dit George après avoir apprécié au vol l'exactitude historique de la chose.

— Alors, ce serait à cause de vos élucubrations. Il y a longtemps que vous auriez dû les détruire…

— Je sais ce que vous allez dire, j'aurais dû supprimer ces données, mais de toute façon on aurait toujours pu en retrouver la trace, nous ne savons pas combien de sites ont repris cette prose. Vous savez bien que ce qu'on lâche sur le Net, ensuite, on ne le maîtrise plus. Mais de votre côté, il n'était peut-être pas très politique de se moquer d'eux, après les avoir plumés. Votre interview au *Financial Times*…

— Vous l'avez lue ? gloussa Gerard. Après tout, ils ont été punis par où ils avaient péché. S'ils avaient lu mes ouvrages et mes interviews, ils auraient su que trop d'avidité nuit, dans notre partie. Vous croyez qu'ils auraient pu aller jusqu'à…

— Si ce n'était pas les Partenaires Associés… cet endroit… le lieu de l'attentat… ce serait une drôle de coïncidence, non ?

— Que proposez-vous ?

— D'essayer d'en savoir plus, d'abord. Et de faire appel à notre prestataire pour un domaine qu'il maîtrise mieux, comme je vous disais. Celui des mercenaires. Vous avez vu les descriptions du type qui a commis l'attentat ?

— Oui, ça m'a frappé. Un spécialiste, un mercenaire occidental...

— Je pense que notre prestataire en sécurité connaît parfaitement ce milieu, et qu'il n'y a pas des tonnes de gens capables de faire ça avec cette technicité et cette froideur...

— Donc, d'après vous, la piste al-Qaida... ?

— C'est la version grand public.

À l'autre bout du fil, le dénommé Gerard marqua une pause avant de reprendre :

— Si c'est bien des Partenaires Associés que ça vient, le temps presse, observa-t-il, pensif.

Puis sa voix se fit impérieuse :

— Je compte sur vous pour régler ça en temps réel. Nous ne pouvons pas nous permettre de nous perdre dans des guerres intestines. Vous devez être en mesure de retourner au plus vite sur le vrai champ de bataille.

— Vous voulez parler du marché ?

— En effet. Je vois l'orage venir du côté des budgets des États eux-mêmes. La Grèce pour commencer, mais il y en aura d'autres.

— Je partage votre sentiment. Il va falloir retourner sur les remparts au plus vite. À côté de ce qui s'annonce, la crise des *subprimes,* c'est de la gnognote. Raison de plus pour faire la lumière sur cette affaire de Saturnia au plus vite.

— Je serai au château demain. On fera le point.

— C'est entendu, à demain, dit le dénommé George avant de raccrocher.

Quelques instants plus tard, au bas du colimaçon, il montra au vieux libraire une pile de livres sur un guéridon :

— Faites-moi livrer ça avenue Montaigne avec la facture. Mais j'emporte celui-là, ajouta-t-il en prenant le volume de la *Revue des Deux Mondes*.

Quelques minutes plus tard, à l'arrière de la voiture aux vitres fumées qui filait sur le quai rive gauche de la Seine, il se replongea dans la lecture de l'article d'Ernest Renan qui résumait les croyances des joachimites, disciples de Joachim de Flore :

L'Ancien Testament, œuvre du temps où opérait le Père, peut être comparé au premier ciel ou à la clarté des étoiles ; le Nouveau Testament, œuvre du temps où opérait le Fils, peut être comparé au second ciel ou à la clarté de lune ; l'Évangile éternel, œuvre du temps où opérera le Saint-Esprit, peut être comparé à la clarté du soleil. Le premier temps a été l'âge de la loi et de la crainte, le second l'âge de la grâce et de la foi, le troisième temps, celui de l'Évangile éternel, sera l'âge de l'amour. Le premier a été le temps de l'esclavage, le second le temps de la servitude filiale, le troisième sera le temps de la liberté (…) D'autres disaient que Joachim désapprouvait les croisades, parce que les infidèles musulmans étaient moins éloignés que les catholiques latins de l'Évangile éternel…

Le prénommé George referma brusquement le volume. Ce n'était pas le moment de s'abandonner à ses vieilles amours. Il décrocha le téléphone de la voiture et demanda à sa secrétaire, avenue Montaigne, de lui caler au plus vite un rendez-vous avec le directeur d'une agence de sécurité sise à la Défense.

Une heure quinze après avoir proposé à Rottheimer d'aller boire un verre, Simona Tavianello posait le pied sur une terrasse située sur le toit d'un club de jazz creusé dans le mont des Débris[1], en face de l'ancien abattoir, dans le quartier de Testaccio. Tout en cherchant d'une main ses clés dans son sac, elle gratta de l'autre la terre d'une des six jarres dans lesquelles poussaient des citronniers et des mandariniers. C'était bien sec. Elle prit le temps d'une moue désapprobatrice assortie d'un claquement de langue puis, ayant déniché son trousseau, ouvrit la porte de bois sombre. La gaze et le tulle filtraient la lumière dans un intérieur meublé en confortable, en profond, en chaleureux, et le buffet de hêtre sur lequel elle posa ses clés de voiture dans une coupelle était peint en gris et vert d'eau. Elle huma.

— Qu'est-ce qu'il m'a fait de bon, mon petit mari ? lança-t-elle en direction d'une porte entrouverte d'où arrivaient des senteurs.

— *Coda alla vaccinara*, dit le petit mari en surgissant sur le seuil. Et gnocchi à la romaine, ajouta-t-il en essuyant ses mains de pianiste sur le tablier protégeant sa chemise blanche et son pantalon de lin.

Il lui tendit les lèvres. Il n'était pas si petit, le mari, car elle dut se mettre sur la pointe des pieds pour caresser les cheveux blancs coupés court, la joue rugueuse et la grosse boucle d'or à l'oreille gauche.

— Spécialement pour toi, j'ai oublié le céleri et

1. Le quartier tire son nom des débris d'amphores entassés au long des siècles, dans la Rome antique, pour former cette colline de cinquante mètres de haut, où des grottes abritent des boîtes de nuit et de rares appartements.

j'ai mis double ration d'ail, ajouta-t-il en lui prenant les fesses à pleines mains. Et le bœuf m'a cédé un bout de joue, en plus de sa queue.

— Tu veux vraiment me transformer en grosse vache imbaisable, protesta Simona en s'écartant pour lui sourire.

— Tu vas voir tout à l'heure si t'es imbaisable… attends, faut que je baisse le feu.

Il lui tourna le dos pour saisir une cuillère en bois et s'affairer au-dessus d'une marmite de cuivre. La cuisinière, vaste meuble aux parois carrelées, au plateau combinant la cuisson au gaz et la vitrocéramique, occupait le centre d'une pièce aussi grande que le salon.

— Ah, fit-il en tournant sur quelques millimètres la commande du cuiseur, tu as oublié ton portable privé dans ton bureau, je l'ai entendu sonner plusieurs fois depuis hier après-midi.

Il se dirigea vers un meuble de rangement aux reflets d'aluminium, l'ouvrit.

— C'était bien, ton congrès à *Napoli* ? s'enquit-il, accentuant exprès son accent napolitain. Ou tu vas te décider à avouer que tu es allée voir ton amant ?

— Crétin, dit-elle en prenant le mobile qu'il lui tendait… Je ne suis pas restée à Naples jusqu'à la fin du congrès. Cet après-midi, Bianchi m'a appelée… Mais tu n'es pas au courant ? Tu n'as pas suivi les infos ?

— Au courant de quoi ? répondit-il sans la regarder, concentré qu'il était sur l'extraction du bol d'un robot multifonctions d'un beau rouge vif : il y aurait du dessert. Pourquoi je me mettrais à regarder les infos ? poursuivit-il en se dirigeant vers l'imposant réfrigérateur, le bol en main. Depuis que t'es partie, je ne suis pas sorti, je n'ai fait que travailler sur ma nouvelle chanson...

Il ouvrit le frigo, en sortit un bocal de crème fraîche liquide.

— Tu l'as finie ? s'enquit Simona en se dirigeant vers un raide escalier de bois, au fond de la pièce.

— Presque. Je te ferai écouter ça tout à l'heure.

Il inclina la tête de côté pour l'observer de derrière la porte ouverte du réfrigérateur.

— Pourquoi tu me demandes si j'ai regardé les infos ? Il s'est passé quelque chose ? On t'a refilé une nouvelle enquête ?

— Bah oui.

— *Cazzo !* s'exclama-t-il – ce qui littéralement signifie bite mais qu'ici on traduira plutôt par putain.

Il referma la porte du réfrigérateur.

— T'as pas déjà assez de boulot ? dit-il, le bocal dans une main, le bol de métal dans l'autre. Simona, chaque jour qui passe, je suis content d'avoir pris ma retraite anticipée. Tu ne vois pas comme c'est bon de ne plus être flic ? Qu'est-ce que t'attends pour faire comme moi ?

Simona posa la main gauche sur la tête de bois sculptée en bas de la rampe et le dévisagea.

— Marco, dit-elle d'une voix soudain tendue, on va pas recommencer, hein ?

Marco soutint son regard quelques secondes puis sourit.

— Non, dit-il. Je n'ai pas envie de gâcher un dîner aux chandelles sur la terrasse. Il y a des artichauts à la juive et des beignets de fleur de courgette en entrée.

Elle sourit à son tour.

— Rien que du léger !

— T'es pas contente ?

— Mais si.

— Tu m'aimes ?

Elle considéra son petit mari en tablier, les mains occupées de matériel de cuisine, puis, comme si elle ne pouvait plus contenir ce qui montait du plus profond d'elle, émit un gloussement charmant quoiqu'un peu ridicule.

— Je t'adore. Je vais voir qui m'a appelée, et après on se boit un verre ?

— D'ac. Mais je te préviens, il y en a encore pour un moment avant de manger. Faut que ça mijote.

Elle grimpa les marches, tandis qu'il versait la crème en secouant la tête.

Il la secouait toujours quand Simona redescendit, mais il avait allumé le petit téléviseur posé sur la longue paillasse carrelée, sous une batterie de casseroles de cuivre et s'était assis, le bol à présent rempli de chantilly dans son giron. À l'écran, Febbraro expliquait que la piste al-Qaida était la plus vraisemblable mais qu'elle n'était pas la seule.

— Putain, dit Marco, sans cesser de fixer la télé, ça pue, ton histoire. Ce crotale de Febbraro… fais gaffe.

Elle lui posa une main sur l'épaule.

— Oui, je sais… C'est prêt dans combien de temps ?

Il se retourna.

— Trois quarts d'heure…, répondit-il puis, avisant la carte plastifiée qu'elle s'était accrochée au cou, au bout d'un ruban de cuir :

— C'est pas vrai, tu vas ressortir ?

— Bah oui, j'en ai pour une demi-heure, trois quarts d'heure maximum. Federico m'a laissé un message, Aurelia devait y aller ce soir mais elle est malade, et il n'y a que moi pour la remplacer.

— Bon, tant pis pour toi, je me boirai un verre tout seul. T'auras qu'à trinquer avec Petit-Gris.

Elle lui caressa la joue, alla prendre un gros sac orné d'une tête de chat, à côté du réfrigérateur, le plaça dans un sac à provisions.

— À tout de suite, dit-elle en se dirigeant vers la porte. J'avais aussi un appel d'Aldo. Il dit qu'il a fait une sieste intéressante.

— Ah ! Notre sorcier est de retour. Tu l'as rappelé ?

— J'ai eu son répondeur, je le rappellerai plus tard. J'y vais à pied, ça me fera du bien.

À 21 heures, un 18 juin, sur la *via* Zabaglia, le contraste était frappant entre la persistance d'une lumière vive et les trottoirs déserts. « Société nationale de protection des animaux errants — Section de Rome » : l'inscription sur la carte plastifiée qui se balançait au rythme de la marche rapide de Simona était parfaitement lisible, même s'il n'y avait personne pour la lire.

Simona chercha Aldo sur sa liste de contacts, appela, mais comme elle retombait de nouveau sur le répondeur, elle coupa, remit le portable dans le sac à main qui pendait sur son épaule gauche. Le sac à provisions commençait à peser au bout de son bras droit. La commissaire repensa à sa conversation avec Rottheimer.

À la terrasse d'*Ombre rosse,* le bar branché de la place Sant'Egidio, devant leurs verres de Vermentino et les coupelles de cacahuètes qu'il vida vivement et les assiettes de micro-pizzas qu'il lui abandonna, il avait raconté sans se faire prier tout ce qu'il avait vu et vécu et ils en étaient arrivés l'un et l'autre à la même conclusion : le tueur était un spécialiste en mission, il avait abattu précisément trois personnes prises au hasard mais pas une de plus, puis tiré pour semer la panique, au-dessus des têtes. Toutes les blessures qui avaient suivi étaient la conséquence de la fuite désordonnée de gens demi-nus se piétinant, enjambant des sièges, tables, chaises longues renversés, escaladant des murets et des rebords de bassin. La question du sens de tout ça restait ouverte.

— Une chose me semble sûre, avait conclu Rottheimer après avoir englouti une dernière poignée de cacahuètes, ces meurtres sont un message.

— Pourquoi en êtes-vous si sûr ?

Il avait regardé le fond vide de son verre, levé la main en vain vers la serveuse prise par d'autres tâches, baissé de nouveau le nez vers le verre.

— Vous savez, j'ai regardé le tueur dans les yeux... et j'ai vu... qu'est-ce que j'y ai vu ?

Il releva la tête.

— Ce que j'ai vu dans ses yeux..., poursuivit-il, je l'ai reconnu... la froideur, le vide. C'était un spécialiste en train de faire son boulot. Et j'ai pensé tout de suite : « service ». Ce type travaille pour un service secret. Ou a travaillé.

— Même si c'est quelqu'un qui a travaillé dans les services, ça pourrait être un ex-agent qui a déraillé, un fou agissant seul.

Rottheimer avait secoué la tête :

— Et la revendication ? avait-il objecté.

— Une revendication fantaisiste comme il y en a toujours après un attentat.

— Vous savez bien qu'elle a été faite si près de la tuerie qu'on peut croire qu'il y avait quelqu'un sur place pour donner le signal de sa diffusion, à cette revendication. Et c'est pour ça, d'ailleurs, que vous m'avez envoyé des collègues, parce que vous avez pensé qu'en diffusant les images que j'ai tournées et mon identité, les télés m'avaient mis en danger. À propos, vous avez une idée sur l'origine de la fuite ? Même si je l'ai appelé pour l'engueuler, je ne pense quand même pas que le lieutenant Licata ait fait filtrer lui-même tout ça aux médias…

— Pour les images, Licata soupçonne un de ses subordonnés, un certain Galluzzo, qui a un beau-frère qui travaille à la télé. Mais il ne pense pas que ce soit ce Galluzzo qui ait livré votre identité. D'ailleurs, elle a été diffusée quelques heures après les images…

À partir de là, la conversation avait abordé des zones périlleuses mais Simona cessa de se la remémorer, car elle approchait de sa destination.

Elle avait marché sur un trottoir étroit, rétréci encore par une succession de platanes dont les feuillages retombaient jusqu'à son visage. À sa gauche, au-delà d'un parapet de briques, on apercevait l'autre rive du Tibre, avec, au plus près de l'eau, des arbres, puis successivement, une allée goudronnée, un haut glacis de vastes dalles blanches maculées d'indéchiffrables hiéroglyphes modernes et de déclarations d'amour pas plus niaises que n'importe quelle déclaration d'amour, un autre chemin envahi de broussailles, et enfin l'arrière de bâtiments, entrepôts et restaurants, qui longeaient l'avenue de Porta Portese, où se tient le dimanche le marché aux puces. Puis elle avait franchi le pont Sublicio, descendu une rampe pavée avec en son centre des dalles faisant office de piste cyclable, et accédé au quai inférieur.

En face, de l'autre côté de l'eau vert bouteille, derrière la falaise frémissante des platanes, dans un élan de verticalité si abrupt qu'il paraissait une erreur de perspective, les contreforts de l'Aventin poussaient vers le ciel le drapeau rouge frappé de la croix blanche sur le toit de l'ambassade de l'ordre de Malte, un gracile campanile de briques, la tache d'encre des frondaisons de pins d'Alep, la fine chevelure courbe d'un palmier et le délicat delta d'un cèdre.

Assis en haut de marches conduisant au ras de l'eau, un trompettiste jouait et le son allait par-dessus le fleuve rebondir contre le mur de soutènement de l'autre rive qui, juste en face, prenait l'aspect d'une paroi lisse d'une vingtaine de mètres de haut signant l'emplacement, sans doute, d'un antique môle. Le lit du Tibre entier offrait sa caisse de résonance et la musique revenait, se mêlait aux notes en partance, formait au fil de l'eau des coulées douces. Des canards qui croisaient en duo se renversaient soudain en avant, ne laissant plus apparaître que leur croupion pointu. Deux cygnes remontaient le courant en direction de l'île Tibérine. Des hordes de mouettes mettaient par-dessus tout ça des appels de grand large et plus haut encore, dans le ciel à peine assombri, le vol de milliers d'étourneaux agitait en figures complexes des draperies grises et noires.

Du côté de Simona, sous l'arche du pont, vers l'amont, une berge herbue apparaissait, et allait s'élargissant au bord de la promenade. Plus loin sur la rive poussaient des platanes énormes, à deux ou trois troncs, il y avait du gazon, des buissons, des figuiers sauvages. Autrefois, le long de ce qui n'était alors qu'un chemin vite boueux, jonché d'ordures, des miséreux avaient habité dans des refuges de bois et de carton. La nouvelle municipalité de droite avait achevé leur expulsion, nettoyé et goudronné les lieux, se gagnant l'approbation silencieuse et gênée des électeurs de la gauche aisée, qui pouvaient enfin chercher ici la fatigue des riches, celle du jogging ou de la bicyclette.

De sous la barrière de bois écorcé récemment installée, un premier animal apparut. Gras et musclé comme un petit cochon, posant sur l'asphalte ses pattes griffues avec l'élégance du fauve parcourant la savane.

— Petit-Gris ! appela Simona.

Elle s'assit sur le banc le plus proche du pont. Un bref galop et Petit-Gris fut sur elle, frottant sa fourrure cendrée dans le giron de Simona, une patte étirée vers le cou pour accrocher tout doucement sans tirer le rebord du lainage qu'elle portait, l'échine concave, son nez blanc avec une charmante tache noire tendu vers le visage de la femme, l'énigme de ses grands yeux verts tournée vers les yeux humains. Puis la rumeur monta, comme celle d'un moteur à deux temps, mais pleine de nuances, de pauses, de variations d'intensité, inexpliquée par la science, et impossible à localiser en un point quelconque du corps, version sonore de la caresse que la bête administrait avec le ventre, les pattes, le museau, son être entier.

Petit-Gris ronronnait.

Simona caressa la tête dont une des oreilles épointée signifiait que l'animal avait été pris en charge par l'association, et qu'on lui avait fait ce que les hommes savent faire de mieux aux bêtes qui les approchent : les tatouer et les stériliser. Plongeant la main dans son sac, elle en retira un sachet de petites bouchées tendres en gelée qu'elle se dépêcha d'ouvrir pour que son préféré en profite. Le reste de la bande, en effet, approchait.

En tête, le mâle dominant tous les autres de sa masse tigrée, puis le frère jumeau de Petit-Gris, encore plus grassouillet que lui, et Blanche-Neige au pelage laiteux exagérément ébouriffé comme la fourrure d'une princesse Disney, et la filiforme Noiraude, et tous les autres. Simona se hâta de répandre des croquettes de chaque côté du banc pour éviter les bagarres et, pendant que les chats mangeaient, elle tenta à nouveau de joindre Aldo.

Encore la boîte vocale. La commissaire fronça les sourcils. Il était inhabituel qu'Aldo Maronne, commissaire principal à la retraite, fût injoignable, surtout après avoir laissé un message demandant de le rappeler. Une voiture passa au ralenti et la policière prit entre deux doigts la carte plastifiée qui pendait à son cou et la souleva à hauteur de son menton. Le chauffeur hocha la tête devant l'évidence qu'elle avait le droit de distribuer de la nourriture aux animaux errants et qu'elle n'appartenait donc pas à un de ces gangs de Roumains ou de Roms ou d'Albanais ou peut-être de Nigérians qui, selon des sources non identifiées mais multiples et populaires, menaçaient les fondements de la romanité en distribuant de la nourriture empoisonnée aux chats pour vendre ensuite leur viande aux cuisiniers égyptiens des restaurants typiques de la zone qui en faisaient des *coppiette al sugo* ou des *saltimbocca alla romana.*

La commissaire caressa encore une fois Petit-Gris puis se leva. Le chat sauta à terre et la raccompagna jusqu'à l'escalier du pont Sublicio, tandis que la fin de sa conversation avec Rottheimer lui revenait à l'esprit.

— Vous savez…, avait commencé l'enquêteur privé et tandis qu'elle y repensait elle se dit que la sympathie que cet ex-flic français lui inspirait tenait sans doute beaucoup à sa masse corporelle, à la fois dodue et musclée, qui lui évoquait en même temps les chats du Tibre et Marco son mari. Vous savez, avait expliqué Rottheimer, depuis deux ans que je suis à Rome, j'ai lu quelques livres, j'ai rencontré deux ou trois personnes, je me suis documenté sur l'histoire récente de votre pays. Inutile que je vous explique que l'Italie a été depuis longtemps, je serais tenté de dire depuis toujours, un laboratoire en pointe dans l'invention des techniques de manipulation des masses. De Machiavel à Mussolini, vous avez suggéré au monde beaucoup d'innovations qui ont ensuite fait leurs preuves.

Il s'était interrompu, l'avait dévisagée, puis :

— Excusez-moi, je peux vous poser une question personnelle ?

— Allez-y, mais je ne vous garantis pas que je répondrai.

— Vos cheveux, c'est naturel ou vous les teignez en blanc ?

— C'est naturel. Pourquoi ? Vous n'aimez pas ? rétorqua-t-elle en se disant qu'est-ce qui me prend, je fais la coquette avec un pédé, maintenant ?

— J'aime beaucoup, au contraire..., avoua Rottheimer qui se gratta la gorge avant de poursuivre : Avec la stratégie de la tension, votre peuple a inventé une espèce de nouvel alphabet, une manière d'écrire des messages avec du sang. Des messages qui ont toujours plusieurs niveaux de significations, et plusieurs destinataires. L'attentat de la piazza Fontana, en 1969, avait pour destinataire le plus évident le peuple italien, il lui signifiait que le désordre menaçait et qu'il serait bon qu'il se réfugie dans les bras d'un pouvoir fort. Mais il avait aussi d'autres significations et d'autres destinataires, et c'est seulement quand on les aura déchiffrés qu'on comprendra vraiment pourquoi seize personnes sont mortes et des centaines blessées. Il en est de même pour les attentats de 93, dont les commanditaires pourraient ne pas être que la mafia, et dont les destinataires pourraient ne pas être que l'État, mais aussi des dirigeants politiques qui allaient prendre le pouvoir...

— Je vois qu'effectivement vous êtes bien renseigné, avait-elle rétorqué. Et vous pensez que l'attentat de Saturnia pourrait être un message de ce genre ?

— Mais oui. Et ce n'est pas le seul message que je vois dans cette affaire, d'ailleurs.

Comme elle se contentait de hausser les sourcils, il avait ajouté :

— Le fait que vous, spécialiste de la lutte antimafia, vous soyez désignée pour diriger l'enquête me semble aussi un message. De qui à qui ? Ça, vous êtes mieux à même que moi de le dire.

La serveuse avait fini par céder aux efforts de l'enquêteur pour attirer son attention. Tandis qu'il commandait une deuxième tournée, la commissaire avait réfléchi à l'opportunité de lui livrer quelques informations et décidé qu'il valait mieux s'en abstenir, pour le moment. Quand les verres, les coupelles et les petites assiettes devant eux avaient été de nouveau remplis, elle lui avait seulement demandé s'il avait songé à écrire des romans. Il avait répondu qu'il n'était pas écrivain mais qu'il le regrettait, car la littérature disposait de plus de moyens que le journalisme ou l'enquête policière pour dire la vérité d'une époque. Quant à savoir si les littérateurs savaient s'emparer de ces moyens, c'était une autre histoire.

Le lendemain, il faisait jour depuis plusieurs heures quand Simona sortit sur la terrasse habillée de pied en cap, en pantalon noir, chemisier crème et veste grise multipoches, une tasse de café à la main. Sur la table, entre les chandeliers éteints débordants de coulées de cire figée, des oiseaux picoraient les reliefs dans les assiettes qu'ils n'avaient pas eu le courage d'enlever la nuit précédente. De l'intérieur, lui parvenaient la voix de son mari et des accords de guitare. La chanson, qu'ils avaient travaillée ensemble jusque tard dans la nuit, s'intitulait *Un sole tascabile,* « un soleil de poche ». Elle posa sa tasse sur la tomette de la balustrade, toucha la terre dans le pot d'un citronnier, se dirigea vers la prise d'eau à l'angle de la terrasse. Des anciens abattoirs en face montait la rumeur du marché bio du dimanche en train de s'installer. Le ciel était clair, la journée s'annonçait d'une imperturbable beauté. Simona vissa l'embout d'un tuyau d'arrosage au goulot du robinet et comme elle approchait du pot, son portable sonna. Elle laissa le tuyau tomber au sol, ne gardant plus que de la main gauche l'extrémité d'où l'eau coulait au pied de l'arbre. De la main droite, elle extirpa l'appareil d'une poche de poitrine, regarda l'écran, sourit et le colla à son oreille en s'exclamant :

— Aldo, enfin !

— Allô, fit une voix d'homme.

Son sourire s'effaça.

— Oui, fit-elle.

— Qui est à l'appareil ?

— Pardon ? Mais vous êtes qui, vous ?

Les sourcils de la commissaire s'étaient froncés, et un pli vertical était apparu entre eux.

— Qui est à l'appareil ? insista-t-on dans son oreille.

— Vous appelez du portable d'Aldo, rétorqua-t-elle sèchement tandis qu'elle se disait que cette voix ne lui était pas inconnue. Vous pouvez me le passer ?

— Qui est à l'appareil ? répéta l'homme et avant même qu'il eût prononcé la phrase suivante, ça y était, elle l'avait reconnu : Ici le lieutenant de carabiniers Licata, dit-il. Vous feriez mieux de me répondre.

— Licata ? C'est moi, vous ne me reconnaissez pas ? La commissaire Tavianello.

— Commissaire Tavianello ! Ah ben ça !

— Qu'est-ce qui se passe, lieutenant ? Aldo a perdu son portable ?

— Excusez-moi, commissaire, mais je ne pouvais pas savoir… vous n'appelez pas de votre numéro, je veux dire du numéro que vous m'aviez donné…

— C'est mon portable privé.

Licata se racla la gorge et d'une voix soudain incertaine, demanda :

— Vous connaissiez Aldo Maronne ?

— « Connaissiez » ?

En voyant l'eau se répandre sur la terrasse et mouiller les chaussures de sa femme sans qu'elle y prenne garde, en voyant surtout l'expression qu'elle avait tandis qu'elle parlait dans son portable, Marco se souvint du jour où elle lui avait annoncé l'assassinat en Sicile d'un ami magistrat.

4

Le zoo d'Aldo

— Qu'est-ce que c'est que ce zoo ?

Simona avait dit cela en montrant, au bord de l'esplanade couverte de pierres de rivière, quatre animaux alignés derrière le ruban rouge et blanc cernant la scène du crime : pour cause de pénurie, on avait dû renoncer au ruban réglementaire et utiliser du vulgaire ruban de chantier. L'âne gris était attaché par un licou au mur latéral d'un bâtiment bas sans fenêtre, à l'entrée voûtée, qui fermait le côté droit de la cour. Près de ses sabots immobiles, un chat noir était assis sur son arrière-train qu'enveloppait la queue, puis, couché dans la poussière, un chien fauve était relié par une chaîne à une niche très classique à toit pentu et un peu plus loin, Simona dut plisser les yeux pour identifier ce qu'elle voyait, il y avait un lapin blanc, les oreilles couchées en arrière. La commissaire se défendit de l'impression que les quatre animaux l'observaient.

— Il paraît qu'il vivait avec ces bêtes, dit Licata, et qu'elles le suivaient partout dans la campagne. Ce sont ses voisins qui ont exigé qu'il attache l'âne et le chien le soir, parce que sinon il laissait ce beau monde divaguer à sa guise quand il était à l'intérieur. Mais quand il sortait se promener... on m'a dit qu'il commençait à être connu, des gens venaient des villages alentour rien que pour le voir déambuler sur les chemins avec son chien, son chat, son âne et son lapin.

Simona reporta son regard vers la forme étendue sur le sol à ses pieds, recouverte d'un drap qui effaçait les contours, à l'exception d'un important relief signalant sans aucun doute la présence d'un estomac rebondi. Autour d'eux, des hommes de la Scientifique regagnaient les voitures en transportant des valises métalliques, d'autres prenaient des photos. À travers une fenêtre encadrée d'une glycine bourdonnante d'insectes, on apercevait un policier en combinaison blanche debout devant un bureau, occupé à des tâches de prélèvement.

— En résumé ? demanda la commissaire.

Le lieutenant Licata jeta un coup d'œil au carnet qu'il tenait à la main.

— Le poste de Capalbio a reçu un appel à 6 h 38, émanant de Giuseppe Viterbo, dit *zio* Vitò, un paysan du coin, qui passait prendre la victime... Votre... euh... votre collègue...

— Mon ami, précisa Simona en se demandant si c'était le mot juste.

Manipuler ensemble pendant dix ans à la questure de Bologne huit quintaux — il avait calculé le chiffre un jour — de rapports pour envoyer deux ou trois boss et des nuées de pauvres types au trou. S'engueuler comme du poisson pourri un soir, se revoir en frétillant comme du poisson frais le matin, se balancer des vannes ou des tasses de café à la figure — en évitant, dans l'un et l'autre cas, de bien viser, offrir un coin d'épaule pour y pleurer et même un peu plus de chair parfois, en guise de consolation mutuelle contre la cruauté du monde. Découvrir ensemble deux ou trois corps massacrés. Bon, oui, on pouvait appeler ça être amis, après tout.

— Votre ami, M. Maronne, il semble qu'il ne savait pas conduire ?

Simona eut un sourire fatigué.

— C'est un peu exagéré... Disons qu'il a toujours détesté ça. Dans le travail, il se débrouillait pour ne jamais prendre le volant. Dans la vie privée, ça provoquait des disputes avec sa femme. Quand elle est morte, il m'a dit : « J'ai perdu la personne qui savait le mieux me piloter dans la vie. » Peu de temps après, il a pris une retraite anticipée.

— Dans la région, il disait ne pas avoir le permis. Il se faisait transporter par des voisins.

Retour du sourire triste.

— Il a toujours été un peu embrouilleur.

— Là, *zio* Vitò devait l'emmener à la gare de Capalbio Scalo. Il lui avait dit qu'il devait se rendre à Bologne pour une affaire urgente.

— Je peux voir le corps ?

— J'ai fait attendre le fourgon de la morgue pour ça. Le procureur Bianchi n'était pas content mais il s'est laissé convaincre. Quand je lui ai dit que vous arriviez, il m'a dit de vous transmettre ses meilleurs sentiments, et il a filé.

— Il a dit ça, « meilleurs sentiments » ?

La voix de Simona s'était brisée au dernier mot car, sur un signe de Licata, un carabinier avait commencé à tirer le drap et le visage du commissaire principal Aldo Maronne était apparu. Elle avait à peine eu le temps de noter sa pâleur et qu'il avait pris des joues, puis le drap avait glissé encore, et la large blessure au cou était apparue. D'un mouvement tournant de l'avant-bras, le carabinier fit voltiger le drap, révélant le sang versé. Les pierres de rivière du sol étaient fixées par un mortier poreux qui s'était imbibé de sang bien au-delà de la flaque sous la tête, formant un curieux réseau alvéolaire et rubicond. Simona se pencha sur le corps de son ami et nota la chemise de pyjama déchirée, les éraflures aux bras, les excoriations aux jointures.

— Il s'est battu ?

— Apparemment, d'après les premières constatations, il a beaucoup résisté jusqu'à ce que le ou les agresseurs réussissent à lui trancher la gorge. Quand *zio* Vitò l'a découvert, il était sur le ventre. Viterbo l'a retourné pour voir où il était blessé. D'après ses dires, il y avait beaucoup de sang mais il ne voyait pas la blessure.

— On dirait qu'il a essayé de fuir et qu'on l'a rattrapé, agrippé par-derrière et...

— Oui, on dirait.

Simona se passa une main sur le visage, puis l'essuya sur le rebord de la veste légère qui lui descendait en dessous de la taille. « Ton style Angela Merkel », lui disait Maronne pour la faire enrager.

— Son mobile ?

— Il est parti au labo mais j'ai examiné les appels des dernières quarante-huit heures. Apparemment, hier, il a essayé à de nombreuses reprises de vous joindre.

— J'avais laissé mon portable personnel chez moi.

— En fin de matinée, il a aussi appelé un de vos collègues, le vice-questeur Jacopo Sarasso, à Bologne.

La commissaire releva la tête pour fixer son interlocuteur.

— Jacopo ? C'est aussi un ami. J'ai passé dix ans à la questure de Bologne, nous étions un trio très lié, précisa Simona tandis que dans sa tête passaient des lambeaux d'images, comptoir de bar enfumé avec discussion sur le sens de tout ça, planque nocturne au bord d'un canal puant, fou rire quand Jacopo s'était pissé dessus lors d'une fusillade…

— Oui. Ils ont eu une conversation qui a duré une trentaine de minutes. Puis Aldo Maronne a tout de suite appelé les renseignements des chemins de fer. Après quoi, il a téléphoné au *zio* Vitò et, d'après ce dernier, il lui a raconté qu'il devait absolument aller à la gare pour prendre le premier train du lendemain, et attraper la correspondance pour Bologne, où une affaire urgente l'attendait. Il aurait ajouté que ses anciens collègues avaient besoin de lui.

— Vous avez joint Jacopo ?

— Il n'est pas encore à son bureau et ses téléphones, le portable et le fixe du domicile, sont sur répondeur. J'ai averti les collègues de la questure de Bologne, il ne devrait pas tarder à arriver, j'ai demandé qu'il me rappelle immédiatement.

Simona Tavianello observa un moment le corps étalé, jambes écartées, le ventre proéminent et la poitrine couverte de poils blancs émergeant de la chemise de pyjama dont plusieurs boutons avaient sauté, le pantalon descendu assez bas pour découvrir la toison pubienne encore sombre, l'expression détendue du visage. Puis elle se détourna et montra la maisonnette à un étage de loggias dont les murs au crépi défectueux dévoilaient de grosses pierres beiges.

— Je peux jeter un coup d'œil ?

— Allons-y.

En franchissant le seuil de la porte encadrée de granit, elle s'exclama :

— Putain !

— Oui, fit Licata tandis que tous deux contemplaient le désordre de la vaste pièce pourtant assez pauvre d'objets.

Tous les sièges étaient renversés, les tiroirs d'une commode renversés au sol, des vidéodisques, des livres, des dossiers étaient répandus à terre, un tapis était à demi roulé et d'un vieux téléviseur retourné partaient des câbles qui n'aboutissaient nulle part.

— Il y a des indications que l'agresseur aurait emporté quelque chose ? s'enquit Simona.

— Sans doute un lecteur de vidéodisque, et on n'a pas retrouvé d'argent liquide, ni de carte de crédit… vous savez s'il avait un ordinateur ?

— Oui, bien sûr, on correspondait par mail. Depuis qu'il a pris sa retraite, il y a trois ans, je n'ai… je n'avais jamais réussi à venir le voir. Trop de boulot. Mais on se téléphonait et on s'écrivait souvent.

— On n'a pas retrouvé d'ordinateur. Ni même de boîtier wi-fi.

À côté de la cheminée vide et nue, une porte entrouverte laissait apercevoir un lit dont les couvertures et le drap du dessus avaient glissé aux trois quarts sur le sol. Des hommes prenaient des photos.

— C'est là qu'il a été attaqué ?

— Oui, on dirait que la fenêtre a été forcée. Mais il n'y a pas de trace de lutte. Je pense que l'agresseur est entré, l'a braqué avec un couteau, l'a emmené dans le salon, peut-être dans le bureau aussi, et qu'ensuite Maronne a réussi à se dégager et a tenté de s'enfuir. L'autre l'a rattrapé dans la cour et l'a égorgé.

Simona montra une porte au fond de la chambre :

— Le bureau, c'est par là ?

— Oui, et il y a un escalier qui mène aux étages. Dans le bureau, peu de désordre. En haut, il y a des chambres qui donnent sur la loggia mais, visiblement, elles sont inhabitées depuis des années, et personne n'y est entré récemment.

— L'arme, les objets emportés : jusqu'ici, ça ressemble à un cambriolage qui a mal tourné. Des empreintes, des traces de pas ?

Le lieutenant Licata secoua la tête.

— C'est là que ça se corse. Rien.

— Rien ?

— Des relevés ADN ?

— Pour l'instant, il semble qu'on n'a trouvé que des poils d'animaux et ceux de la victime. Sous réserve de vérification.

— Si c'est le crime d'un cambrioleur ou d'un rôdeur, le rôdeur est exceptionnellement prudent !

— En effet.

Depuis quelques instants, ils étaient sans cesse obligés de se déplacer pour laisser passer des hommes de la Scientifique qui allaient et venaient.

— Je crois qu'il vaudrait mieux qu'on ressorte, observa Licata.

Ils marchèrent jusqu'au bord de l'esplanade, du côté opposé aux bêtes qui semblaient toujours les observer. Au-delà d'un muret, des tournesols innombrables méritaient leur nom avec obstination, levant vers le soleil dans un impeccable ensemble leurs faces rondes engoncées dans leur col de pétales. La tache jaune vif du champ s'interrompait sur la flamme noire de cent cyprès. Après commençaient les ondes longues du relief toscan. Ils s'assirent sur le muret.

— Vous ne m'avez pas dit s'il vous avait laissé des messages, observa le lieutenant sur un ton neutre.

Simona soupira, sortit un briquet et un paquet de cigarettes de son sac, en proposa une d'un geste à Licata et comme il déclinait, elle s'en alluma une, souffla la fumée.

— J'essayais d'arrêter, mais je crois que c'est encore raté… Il m'en a laissé un, de message. Il m'a dit qu'il venait de faire une sieste intéressante.

Le lieutenant, qui avait croisé les bras, tourna vivement la tête. Simona hocha la sienne :

— Ce sont ses propres mots : « une sieste intéressante ».

— Qu'est-ce que ça veut dire ?

La commissaire tira encore une bouffée, regarda le bout de sa cigarette, la jeta à terre et l'écrasa du talon.

— Aldo était un drôle de personnage, en plus d'être un ami. À la questure de Bologne, où il a terminé sa carrière, il était surnommé le Sorcier. Il était réputé pour sa capacité de déduction et pour ses intuitions. Et figurez-vous qu'il faisait avancer les enquêtes en dormant. Oui en dormant, insista Simona en voyant son interlocuteur interloqué. Parfois, on le surprenait en train de faire la sieste dans son bureau, et il disait : laissez-moi, je travaille. Et en fait, c'était vrai. Il trouvait toutes sortes de choses en dormant.

Il disait que c'était dans ses rêves qu'il découvrait la réponse aux questions qu'il se posait. Il en rajoutait sûrement, pour qu'on le laisse roupiller en paix — il a toujours été assez fainéant. Je ne sais pas comment ça fonctionnait, peut-être son esprit établissait-il dans son sommeil des rapports qui nous échappaient à tous en état de veille, toujours est-il que nous avons appris à respecter les visions qu'il disait avoir eu en rêve, puisqu'elles nous ont permis d'avancer sérieusement dans un bon nombre d'affaires. Par exemple, c'est en dormant qu'il a compris que la bande de la Uno blanche[1] était composée surtout de policiers...

— Vous pensez qu'il vous a appelée parce qu'il a eu une de ses fameuses illuminations en faisant la sieste ?

— Certainement. Je serais curieuse de savoir ce qu'il a raconté à Sarasso.

— Et qu'est-ce que vous pensez de son assassinat ?

— La même chose que vous, je suppose. Pour faire croire à un meurtre de rôdeur, on s'est donné un peu de mal, mais pas trop. L'absence d'empreintes fait penser plutôt à un professionnel qu'à un paumé ou un toxico venu le cambrioler. Je pencherais plus pour la vengeance d'un des nombreux bandits qu'Aldo a envoyés à l'ombre.

— C'est possible, dit Licata en composant un numéro de portable.

Au bout de trois sonneries, il s'identifia, demanda

1. Nommée d'après le type de voiture qu'elle utilisait le plus souvent, cette bande, qui comprenait des policiers de la questure de Bologne, commit, entre 1987 et 1994, 103 crimes (braquages en tous genres notamment), provoquant la mort de 24 personnes.

le service de prévention du Crime, où on lui répondit que le vice-questeur Sarasso n'était toujours pas arrivé.

— Bon, dit Simona en reprenant son sac à main. Je vais vous laisser. Dès que Sarasso aura donné de ses nouvelles, faites-le-moi savoir. Mais je suppose que vous n'allez pas garder la direction de cette enquête ?

— Vous avez raison, je vais la passer à l'adjudant Rossi, de Grossetto. Il est en train d'arriver. Je dois me concentrer sur l'enquête de Saturnia... comme vous, j'imagine ?

— En effet. Le rapport préliminaire ?

— Il doit être sur la table de votre bureau. On vous l'a envoyé cette nuit.

— Bien, dit Simona en se dirigeant vers le bord de l'esplanade. Je dois le lire avant mon entrevue avec le procureur, en début d'après-midi. Je retourne à Rome.

Au bout de quelques pas, elle s'arrêta, fixant les animaux. Elle avait l'impression qu'ils la suivaient du regard. L'âne dodelinait doucement la tête, le chien haletait, le lapin rongeait à vide, le chat était parfaitement immobile.

— Dites-moi, demanda-t-elle en les montrant du doigt, qu'est-ce qu'ils vont devenir ?

Le lieutenant haussa les épaules.

Eh bien, comme votre collègue n'a pas d'enfant, Viterbo, son ami paysan, s'est proposé pour reprendre l'âne et le chien. Le chat, il vivra sa vie. Et le lapin... bon, vous savez bien ce qu'ils en font, des lapins, les paysans.

Dans la berline de luxe qu'il avait louée à la gare centrale de Naples pour remplacer la voiture abandonnée dans une cité de Secondigliano où des mains industrieuses devaient déjà être en train de la désosser, Jean Kopa prit sur le siège du passager un portable et, sans le regarder, l'alluma, composa le PIN puis, quand l'appareil fut prêt, il tapa, toujours sans regarder, un numéro, laissa sonner une fois et coupa. Sur la plage du tableau de bord, parmi un grand nombre de flacons et de boîtes, il choisit un tube de Dexedrine et, d'une seule main, le dévissa, en tira deux pilules qu'il se jeta dans la bouche, ramassa une petite bouteille d'eau posée sur le siège du passager, dévissa le bouchon avec les dents, but une gorgée qui fit passer l'amphétamine. Il regarda le dos de sa main où des écorchures avaient recommencé à saigner, secoua la tête. Les avant-bras posés sur le volant, il se tamponna avec un mouchoir en papier, tandis que la voiture continuait de foncer à 130 km/h. Dans le lecteur, il inséra un CD pirate acheté à un ambulant de Naples et la voix de Nusrat Fateh Ali Khan, extasiée devant la grandeur de Dieu, s'éleva dans l'habitacle. À 11 heures du matin sur l'autoroute de la Maurienne, un dimanche, la circulation était presque nulle. Il calcula que, depuis la veille, il avait parcouru près de deux mille kilomètres. Et tué sept personnes.

Son esprit surexcité par l'amphétamine avait commencé à calculer le rapport homicides/kilomètres quand, soudain, *la Marseillaise* retentit par-dessus l'exaltation des noms d'Allah.

Kopa brancha l'oreillette de son portable.

— Qu'est-ce que vous foutez ? demanda la voix. Où êtes-vous ?

— Sur le chemin du retour, à hauteur de Chambéry. Mais le retex, c'est pas à 20 heures ?

— Je vous rappelle que nous sommes en procédure d'urgence. Et que vous devez rester joignable 24 heures sur 24.

— J'avais oublié de brancher mon portable.

— Oublié ? ! cria presque la voix qui marqua une pause, puis reprit à un volume normal :

— Comment s'est passée la dernière opération ?

— Moyennement. J'ai supprimé l'unité visée mais j'ai eu du mal...

— Vous avez récupéré son ordinateur et tout ce qui pouvait contenir des infos ?

— Oui. Tout détruit, comme convenu.

— Les traces ?

— Je n'en ai pas laissé.

— Vous voulez dire que vous n'avez pas laissé les vôtres, je suppose. Mais vous en avez laissé d'autres ?

— Non.

— Comment, non ?

— Ben non, ramasser des cheveux de quelqu'un ou d'autres traces ADN, lui piquer des chaussures, ça prend du temps. Il aurait fallu que je trouve un gymnase ou une piscine, que j'attende l'ouverture... j'aurais perdu des heures...

— Et alors ? Ce n'était pas pressé au point de négliger la procédure.

— Moi, je suis pressé. Pour des raisons personnelles.

— Ah. Et pour des raisons personnelles, vous avez bâclé le travail.

— J'ai fait le boulot, non ? C'est l'essentiel, non ?

— Ce n'est pas à vous de décider ce qui est essentiel, lança la voix avec hargne. Et j'avais un autre boulot dans le coin, j'ai dû faire appel à des correspondants, je n'aime pas du tout ça.

— N'oubliez pas que je suis un indépendant, répliqua Kopa. J'ai décidé que ça suffisait comme ça et que j'allais rentrer.

— Ah, fit la voix, lourdement ironique. Vous voyez ça comme ça, vous, vous êtes « un indépendant »... Et je vous signale que vous avez merdé aussi sur le premier coup. Mes correspondants me signalent qu'on a retrouvé un cheveu dans la voiture que vous avez abandonnée aux environs de Saturnia.

— Merde ! Je l'ai pourtant nettoyée. Mais rien ne prouve qu'il est de moi, c'est peut-être un cheveu d'un employé de l'agence de location.

— Oui. Peut-être.

— De toute façon, mes empreintes génétiques ne sont sur aucun fichier.

— Jusqu'à présent.

Quelques secondes de silence, puis la voix reprit, sur un ton neutre :

— Bon. Il faut que vous rencontriez quelqu'un d'urgence. Je vous rappelle.

Fin de la communication. De nouveau, les volutes de la voix du chanteur soufi. La main droite de Jean Kopa tâtonna dans les boîtes et les tubes de médicaments, écarta celui de Benzedrine, choisit une spécialité très proche. Il avala sans boire deux pilules d'un médicament prescrit en cas d'hyperactivité de l'enfant. Dix minutes plus tard, il ralentissait pour s'arrêter à un péage, quand *la Marseillaise* retentit à nouveau.

— Oui ? fit-il tout en baissant la glace pour appuyer sur le gros bouton plat.

— Vous êtes où, là, exactement ?

— Péage Chambéry-Nord.

— Vous continuez sur l'A43 jusqu'à l'aire de Bourgoin-Jallieu, vous vous garez là et vous attendez qu'on vous contacte.

— Entendu, dit Kopa tout en retirant le ticket qui jaillissait de la fente.

La barrière se leva et tandis que son front se plissait et qu'un muscle jouait derrière la joue à hauteur de sa mâchoire, Kopa conduisit la berline à petite vitesse jusqu'à l'aire de stationnement contiguë au péage. Pendant quelques minutes, il resta immobile, les yeux fixes, bras croisés sur le volant. Puis il prit le portable posé sur le siège du passager et un sac de sport sur les sièges arrière et sortit. Dans les toilettes, après avoir uriné longuement, il prêta l'oreille. Pas un bruit. Il retira la pile puis la puce de son portable. D'une poche extérieure du sac, il tira un flacon, en dévissa le capuchon, fit tomber la carte Sim dans le liquide à l'intérieur, qui bouillonna. D'un mouvement sec du poignet, il projeta la carte avec un peu de fluide dans les toilettes et tira la chasse.

Tandis qu'il piétinait le portable, sa mine était pensive.

Puis il ne bougea plus pendant une minute, vérifiant encore à l'oreille qu'il était seul. Ensuite, il s'accroupit sur le sac, écarta des vêtements, souleva un double fond, en sortit un revolver, vissa un silencieux, examina le chargeur, ce genre de choses.

De retour dans la voiture, il scruta la carte de la région sur le GPS, tapa divers itinéraires et repartit, le revolver posé à la place du mort. À la hauteur de la Tour-du-Pin, il sortit de l'autoroute, poursuivit sur une départementale parallèle en direction de Bour-goin-Jallieu, entra dans la commune de Ruy, qui s'est associée à celle de Montceau en 1972. À l'approche de Bourgoin, la chaussée passait sous l'autoroute, qu'il longea dans l'autre sens, retournant dans la direction de Chambéry grâce à une autre départe-mentale. Après avoir traversé des étendues dénom-mées zones d'activité, où seuls quelques véhicules bougeaient, il roula jusqu'à l'arrière d'un entrepôt qui bordait l'autoroute, en face de l'aire de station-nement où on lui avait donné rendez-vous. Sans sor-tir de la voiture, il tira des jumelles de son sac, examina les alentours. Dans leur mouvement rota-toire, les objectifs parcoururent des prairies à l'aban-don, une casse auto, des terrains vagues, des parcs de stationnement, avant de s'immobiliser sur une butte herbue au sommet de laquelle subsistaient quelques arbres. L'éminence était juste en face de l'aire où il avait rendez-vous, à cent mètres à vol d'oiseau, de l'autre côté de l'autoroute.

Il régla la focale. Près de trois minutes lui furent nécessaires pour distinguer sous des branches basses de sapin, recouvertes d'aiguilles et de feuilles, une forme humaine allongée. Quelque chose la prolon-geait, une chose qui, au moment où la silhouette bou-gea imperceptiblement, fut plus pâle à peine une seconde. Mais cela lui suffit pour reconnaître la lunette de visée d'une arme à longue portée.

Il baissa les jumelles, plongea la main dans la boîte à gants, en sortit un portable, composa un numéro. Dès la première sonnerie, on décrocha et une voix de femme articula allô.

— Mme Marguerite ? dit-il. C'est Jean.

— Ah, bonjour Jean, vous êtes sur le retour ? On vous voit bientôt ? Votre sœur vous réclame, vous savez.

— Je vais être un peu retardé, madame Marguerite. Dites-moi, j'ai un petit problème, j'avais complètement oublié que Jeanne doit subir une série d'examens aujourd'hui.

— Des examens ? Vous êtes sûr ? Je n'étais pas au courant.

— Bien sûr, c'est ma faute, le boulot, vous comprenez, j'ai complètement oublié de vous en parler. Une ambulance va venir la chercher ce matin. Vous pouvez la préparer ? Elle n'est pas trop agitée aujourd'hui ?

— Non, non, ça va, je l'ai fait manger sans problème. (Soupir.) Bon, je vais m'en occuper.

— Je vous remercie beaucoup, madame Marguerite, j'ai pensé à vous, vous savez, je vous ai apporté du limoncello.

Mme Marguerite rit.

— Jean, vous me gâtez.

Il raccrocha, composa un autre numéro, demanda le Dr Poivrin, attendit près d'une minute puis dit : « Paul, il faut exfiltrer ma sœur, tout de suite. Tu la mets dans la clinique suisse ? Bon, merci. Je reprends contact d'ici à quelques heures. »

Sur quoi, il redémarra, retourna sur la départementale et roula en direction de Chambéry. Il attendit d'avoir mis cinq ou six kilomètres entre la butte herbue et lui pour se ranger sur le bord de la chaussée, détruire la puce et piétiner à loisir son portable.

Sur le dos de sa main, les griffures avaient recommencé à saigner.

Ce même jour, vers 16 heures, la commissaire Simona Tavianello reposa sur son bureau le dossier des rapports préliminaires de la police scientifique et sortit de l'immeuble de la Direction nationale anti-mafia, *via* Giulia à Rome, pour traverser le Tibre et remonter la viale Trastevere, jusqu'à un supermarché ouvert le dimanche, où elle acheta un paquet de carottes.

À 17 heures, elle était rentrée et recevait un appel du lieutenant Licata qui lui annonçait que le véhicule du tueur, une berline haut de gamme, avait été retrouvé dans un bosquet au lieu-dit Casa Pergolace, à une quinzaine de kilomètres de Saturnia. On n'avait pas brûlé l'engin, sans doute pour ne pas attirer l'attention mais il avait été soigneusement nettoyé. Néanmoins, la Scientifique avait trouvé un poil de bras resté coincé dans la poignée intérieure d'une portière. Un poil blond-roux, ce qui correspondait au signalement du tueur. Le labo de la Scientifique allait relever l'empreinte ADN et lancer une recherche dans les différents fichiers.

À 17 h 30, Domenico Gardonni et son fils Ricardo entrèrent dans la chambre de sa fille Silvia, à l'hôpital Della Misericordia à Grossetto. Blessée à la tête, la fillette était intubée, sous perfusion et inconsciente. Ricardo tira une chaise pour s'asseoir à côté de sa sœur jumelle et lui prit une main. Pendant que son père s'entretenait à voix basse avec un médecin, le garçon posa son autre main sur le bandage qui enserrait son propre crâne et essaya de toutes ses forces d'entrer en communication télépathique avec sa sœur. Dans un roman de science-fiction qu'il avait lu récemment, entre jumeaux, ça marchait. Mais là, non.

À 17 h 50, Roberto Benedetti s'éveilla d'un sommeil procuré par l'absorption d'alcool et de psychotropes. Il s'affola d'abord, parce qu'il ne voyait rien et que quelque chose lui collait au visage. Puis il se souvint et d'une main pressa le chemisier de Frédérique plus fort contre son visage, l'écrasa sur son nez. Sa bouche s'entrouvrit sur son souffle court, du tissu glissa entre ses dents. Il semblait vouloir s'étouffer avec le vêtement.

À 18 h 50, Giovanna Grassi, survêtement et bandeau dans les cheveux, commença à courir sous les pins parasols de la villa Pamphili et dans l'heure qui suivrait, elle ne ferait que courir et réfléchir, courir et réfléchir.

À 19 h 50, elle prit une décision et, aussitôt après, s'aperçut qu'elle pouvait maintenant penser à Maria sans se sentir réduite à l'état de petite chose pleurnicharde.

À 21 h 10, Jean Kopa calcula qu'il avait effectué deux mille trois cents kilomètres en voiture et un millier en avion. Pour ce dernier trajet, il avait dû griller une identité, celle d'un lieutenant de carabiniers membre des Ros et rejoignant sa nouvelle affectation avec un sac contenant ses armes personnelles. À présent le sac était entre ses jambes et lui, il était couché dans une cave, derrière une chaudière éteinte, le dos appuyé contre un mur de briques, et il achevait de s'injecter une dose de barbiturique, seule manière pour lui de trouver du repos. Il y avait soixante-dix-sept heures qu'il n'avait pas dormi. À 21 h 12, juste avant de sombrer, il pensa qu'il allait devoir se procurer un nouveau contingent de portables.

Au soir de ce jour, les affrontements entre factions avaient fait 123 morts en Somalie, des milliers de Karen avaient fui les bombardements de l'armée birmane, des villageois avaient attaqué des talibans au Pakistan après un attentat contre une mosquée, à Pampelune le dixième lâcher de taureaux de la San Fermin avait provoqué chez les humains dix blessés, dont deux très graves mais le sort des taureaux était inconnu. Près de L'Aquila, dans un camp de tentes, les survivants du tremblement de terre suivaient du regard les hélicoptères tournant en rond au-dessus du lieu où dix chefs d'État posaient pour la photo du G8. Dans leurs prisons, les 21 étudiants arrêtés dans différentes villes d'Italie parce que, suivant d'éminents magistrats, ils « auraient pu troubler » la réunion internationale, trouvaient le temps long. En France, des hommes politiques avaient fait des déclarations sur divers sujets, des commentateurs les avaient commentées, des gens avaient été interpellés dans le métro parisien en raison d'une forte concentration de mélanine dans leur peau, et dans la clinique où on l'avait transférée, une jeune femme affectée d'une maladie dégénérative assez grave pour l'empêcher de parler mais pas assez pour obscurcir sa conscience, souffrait.

Des millions de gens ressentaient une impression de vide, c'était dimanche soir.

Des millions de gens ressentaient que leur vie ressemblait chaque jour à un dimanche soir.

Et si incroyable que cela leur parût, la nuit passa, et aussi les premières heures du jour et on alla travailler.

À 9 h 45, ce lundi 9 juin, la température était déjà élevée à Paris pour la saison et rue Saint-Guillaume, on était à un quart d'heure de l'ouverture des portes de la galerie *La Galerie* où aurait lieu le vernissage de l'exposition « La Trahison trahie ». Et l'on transpirait dans la foule qui avait atteint une densité difficile à soutenir, à la suite d'une intervention policière pour dégager la chaussée envahie d'amateurs d'art. On s'indignait à voix haute de l'exploitation mercantile d'un massacre, on prenait la défense de l'art qui est toujours quelque part provocation, on demandait des nouvelles de l'artiste qui viendrait sûrement malgré le chagrin, ses déclarations reprises en boucle par les journaux télévisés étaient jugées très dignes, hormis par quelques ricaneurs qui se demandaient s'il n'avait pas commandité l'attentat pour relancer sa cote en chute mais des regards réprobateurs poussèrent les ricaneurs en question, qui en fait n'étaient que deux, un parasite mondain et un chroniqueur de *Siné-Hebdo,* à s'auto-expulser en direction d'un comptoir où l'on servait un excellent chablis vinification naturelle.

Pendant que les deux zigomars s'arsouillaient, le prénommé George, amateur de vieux livres et d'utopies anciennes, entrait dans la galerie, chaleureusement salué par la propriétaire. L'artiste en personne vint lui serrer la main et échanger quelques mots avec lui. L'immense garde du corps à oreillette était resté sur le trottoir.

À 9 h 55, on était à cinq minutes de l'heure d'ouverture du bureau de Cédric Rottheimer, comme l'indiquait l'horaire gravé sur la plaque, en dessous de la mention « *economic intelligence, indagine private e commerciale* ». Mais il y avait près de deux heures que l'enquêteur se trouvait dans ces locaux sis *via* dei Serpenti, rue perpendiculaire à la *via* Nazionale, et il était en train de conclure une conversation téléphonique.

— Oui, mon beau chéri, d'accord… comme tu voudras, on fera ce que tu voudras, ce soir. Tu ne m'en veux plus ? Bon, je t'embrasse.

Cédric Rottheimer reposa le téléphone et soupira. Sa grosse main se saisit de sa propre nuque et l'étreignit, tirant sur les cheveux courts, comme s'il avait voulu se soulever lui-même par la peau du cou. Puis il reprit la rédaction d'un e-mail.

De : rottheimer@free.fr
À : tavianello@libero.it

Objet : message
Cher commissaire, à la suite de notre conversation, je voudrais vous faire part de quelques réflexions. À mon avis, s'il y a message, dans le massacre de Saturnia, il faut le chercher autour de trois points qui me paraissent absolument délibérés, dans cette opération :
1 – La coïncidence avec le G8 de L'Aquila, qui est évoqué aussi dans la revendication : mais ça peut être un écran de fumée, et l'authenticité de la revendication n'est pas avérée.
2 – Le lieu : c'est là et nulle part ailleurs que le massacre a été commis. Je suppose que vous avez déjà commencé à vous informer sur la société propriétaire des thermes de Saturnia. Il me semble qu'un tel établissement pourrait être utile au recyclage d'argent sale. C'est la piste classique. J'ai pensé aussi que le message pouvait concerner quelque chose qui ne soit pas directement lié à l'entreprise, mais à un symbole, peut-être même au nom, « Saturnia », qui évoque Saturne. Saturne, le dieu qui dévore ses enfants. En même temps, le temps de Saturne, dans la mythologie, fut celui où tout était à tous. Je pense aussi au saturnisme, l'intoxication au plomb. Pures spéculations sans

fondements aucuns pour l'instant, mais la question du lieu me paraît quand même essentielle.

3 – Le nombre de victimes. Une chose me semble sûre : le tueur aurait pu en faire beaucoup plus, il a choisi délibérément de n'en faire que trois. Et au hasard, puisqu'il était sur le point de me tuer et que c'est seulement parce que la malheureuse…

Une sonnerie le fit sursauter, il cliqua sur une icône de son écran et l'image d'une femme, le nez levé vers l'objectif, apparut.

— *Si ?* fit-il à l'adresse de l'écran.

— M. Rottheimer ?

— Oui ? répéta-t-il en français, car elle avait dit « monsieur » et non *signore*.

— Je suis Giovanna Grassi, j'étais à Saturnia, ma compagne a été tuée. Je voulais vous parler.

Rottheimer fronça le nez et les sourcils, ce qui accentua sa ressemblance avec un boxer.

— Votre compagne ?

— Oui, comment vous dites ? Ma concubine, Maria Salvina fait partie des trois victimes.

Rottheimer s'agita sur son siège pivotant.

— Vous… euh vous voulez me voir ? demanda-t-il en pensant quelle question con.

Et la réponse qui vint, il se dit qu'il l'avait méritée :

— Non, je sonnais comme ça, pour m'amuser, assura la femme, son visage carré se rapprochant de l'œil de la caméra, la déformation aggravant encore sa moue mauvaise. J'ai très envie de m'amuser en ce moment.

— Pardon… C'est au premier, vous n'aurez qu'à pousser la porte.

Il appuya sur le bouton qui ouvrait la porte de l'immeuble et débloquait celle du bureau.

Quand elle fut assise dans le fauteuil, face à l'investigateur privé, Giovanna dévisagea assez longtemps son interlocuteur pour qu'il se décide à parler le premier, ce qui était contraire à ses habitudes :

— Que puis-je pour vous, madame Grassi ?

Elle continua de le fixer durement pendant une trentaine de secondes puis elle émit un bruit étrange, entre gloussement et hoquet, et son regard soudain parut s'affoler, chercher quelque chose, le bruit recommença, deux fois, elle baissa les yeux comme pour repérer d'où ça venait, et enfin, se prit la tête entre les mains et pleura.

— Rien, dit-elle au milieu de ses larmes. Je pense que vous ne pouvez rien pour moi. Excusez-moi.

Elle se leva, gagna la porte. Rottheimer bondit sur ses pieds. Il la rattrapa sur le palier, lui posa une main sur l'épaule, chercha ses mots, mit de la chaleur dans sa voix et, une fois de retour dans le bureau, lui offrit le choix entre un verre d'eau filtrée, un café de sa machine à expressos design et un thé d'une marque née dans le Marais parisien. Elle opta pour le thé.

— Avant de rencontrer Maria, commença-t-elle, j'étais toujours entre la dépression et l'agressivité. Elle me disait que je n'aimais pas les gens, que je devais faire un effort pour les aimer. J'essayais pour lui faire plaisir. Et justement, samedi, dans le bassin de Saturnia, on était si bien, je sentais que je commençais à les aimer, les gens…

Elle parla un bon quart d'heure de son aimée avant d'énoncer sa proposition :

— Je souhaite vous engager pour enquêter sur le massacre. J'ai hérité de mes parents un patrimoine immobilier important, j'ai de gros revenus, je peux payer tout ce qu'il faudra payer pour connaître le pourquoi de ce massacre et l'identité du tueur et de ses commanditaires. Je ne voudrais pas que cet attentat rejoigne la longue liste des mystères d'Italie, ces histoires fastidieuses pleines de doubles fonds et de rebondissements, d'enquêtes et de contre-enquêtes qui s'entassent jusqu'au moment où on n'y comprend plus rien. Je veux savoir qui a tué Maria et pourquoi. J'ai fait quelques recherches sur Internet et je crois que vous êtes la personne idéale pour lutter contre l'ensablement des investigations. Je vous embauche.

— Problème, dit Rottheimer en reposant sa tasse de thé *Île Magique*. Vous n'êtes pas la seule à vouloir m'embaucher…

Il jeta un coup d'œil à sa montre avant de poursuivre :

— J'attends d'une minute à l'autre…

Sonnerie. Coup d'œil à l'ordinateur. Un crâne nu d'homme était visible dans l'écran de contrôle.

— D'ailleurs, le voilà.

Cédric Rottheimer appuya sur le bouton d'ouverture, invita l'homme à monter, expliqua :

— M. Domenico Gardonni est le mari de Rita Gardonni, une des deux autres victimes. Leur fille est aussi grièvement blessée, dans le coma à l'hôpital.

Ils attendirent en silence jusqu'à ce qu'apparaisse dans l'entrée un homme grand et maigre, le crâne chauve, avec un jeune garçon à son côté.

— Je peux ? demanda Domenico Gardonni.

Comme Cédric se levait pour l'inciter à venir s'asseoir dans le bureau, le téléphone sonna. Pendant que l'homme et le garçon prenaient place, il décrocha :

— M. Rottheimer ?

— C'est moi.

— Je suis Roberto Benedetti. L'amant de Frédérique Play. Si j'ai bien compris, vous travaillez pour Play, vous nous avez suivis jusqu'à Saturnia.

— Je ne peux pas vous répondre là-dessus.

— Peu importe. Ce n'est pas pour cela que je vous appelle. Je voudrais vous embaucher. Je suis en bas de votre bureau. Je peux monter ?

— Allez-y. Il faudra que vous montriez vos papiers aux deux policiers en civil devant l'entrée, mais je crois qu'ils laissent passer sans encombre les proches des victimes de Saturnia.

En disant cela, Rottheimer avait fixé Giovanna qui hocha la tête.

Bientôt quatre personnes furent assises en face de l'enquêteur, qui chercha quoi dire.

Les yeux célestes de Giovanna semblaient guetter ses lèvres comme pour *voir* les mots qui en sortiraient.

Tandis que sa jambe droite était soumise à des sursauts spasmodiques, les yeux noisette de Roberto Benedetti furetaient dans chaque recoin de la pièce pour revenir invariablement à l'enquêteur.

Les yeux noirs, profondément enfoncés et cernés de violet de Domenico Gardonni le dévisageaient franchement, des expressions d'inquiétude ou de désarroi se succédant sur son visage à la vitesse de nuages chassés par le vent.

L'œil clair de son fils Ricardo était attaché à Cédric Rottheimer avec une fixité aussi immobile que son corps immobile.

Le privé se racla la gorge. Il fallait dire quelque chose.

— Le mieux pour vous, ce serait de créer une association.

Quand ses visiteurs furent partis, Cédric Rottheimer rangea dans le coffre les contrats qu'il avait fait signer à tout le monde et se réinstalla devant son ordinateur.

Dans le hall, Ricardo dit à son père qu'il avait oublié son portable chez le détective et qu'il montait le récupérer. En entendant une sonnerie non pas à l'interphone, mais à la porte palière, le détective jeta un coup d'œil au tiroir du bureau où il rangeait son pistolet puis haussa les épaules et alla ouvrir.

Le jeune garçon se tenait sur son seuil. Il planta dans les yeux de Rottheimer le regard de ses yeux impavides, et dit :

— Vu que mon père a un cancer et qu'il risque d'être plus là d'un jour à l'autre, est-ce que vous pouvez me donner votre numéro de portable ?

Sur l'écran, Frédérique et Roberto s'embrassaient sur le parking des thermes de Saturnia. Tout au fond d'un couloir, on les voyait entrer dans une chambre puis le cadre changeait, un téléobjectif permettait d'apercevoir la silhouette de Frédérique nue, debout devant une fenêtre, les mains de Roberto sur ses seins. Ensuite, on les voyait marcher au milieu des baigneurs et des vapeurs.

L'image était souvent très floue mais une incrustation en forme de cible permettait de suivre les déplacements de Frédérique.

Dans la salle principale de *La Galerie*, rue Saint-Guillaume, on se pressait pour suivre la projection vidéo qui occupait tout un pan de mur. Des diffuseurs de vapeur contribuaient à l'empathie. Un grand silence régnait.

— C'est fort, murmura seulement une décolletée avant d'avaler une gorgée d'un champagne trop acide.

À côté d'elle, le prénommé George, qui n'avait pas touché au contenu de sa flûte, fixait intensément l'écran. À un moment, ses sourcils broussailleux se plissèrent, il passa une main sur son menton à la pilosité mal contenue. Son regard s'était focalisé sur un homme en chaise longue sur une pelouse à l'arrière-plan d'un bassin. Puis le cadrage changea, la silhouette disparut mais George observa attentivement la suite, et quand la vidéo repassa la séquence où l'homme apparaissait, il le fixa de nouveau avec une extrême attention.

Puis il sortit et, avant de regagner sa berline aux vitres fumées, il prit le temps de s'arrêter dans une cabine téléphonique pour passer un bref coup de fil :

— Gerard, dit-il dès qu'on eut dit « allô », j'ai vu les images prises par ce privé à Saturnia. Maintenant, je suis sûr que ce sont les Partenaires Associés qui ont fait le coup. Et ils cherchent à m'impliquer, moi, directement.

Après avoir satisfait à la demande de Ricardo, Rottheimer resta une bonne minute planté dans l'entrée. Puis il s'ébroua, décidé à terminer son mail à Simona Tavianello avant de réfléchir aux investigations qu'il pouvait mener sans courir le risque d'être accusé d'entrave à la justice.

… c'est seulement parce que cette malheureuse a crié « arrêtez-le » que le tueur l'a abattue, elle et non pas

moi. Par ailleurs, le fait que les trois victimes soient
des femmes ne me semble pas non plus significatif si
on retient l'hypothèse de meurtres au hasard. À moins
de plonger dans l'inconscient du tueur...

On sonnait de nouveau à la porte palière. Comment était-ce possible ? Il y avait aussi un dentiste dans l'immeuble et il arrivait que certains de ses clients, malgré la plaque, se trompent.

Dans l'œilleton, il ne vit rien, juste une espèce de boîte dont il ne devina pas la nature exacte.

— Qu'est-ce que c'est ? demanda-t-il à travers l'épaisseur de bois.

— Pizza, dit une voix allègre.

Putain, pensa-t-il, le mauvais gag. Il ouvrit :

— Vous vous trompez, commença-t-il et puis un vieux carton graisseux manifestement ramassé dans une poubelle tomba à terre et contre son front se colla le tube d'un réducteur de son vissé à un pistolet qu'il reconnut aussitôt : c'était un Glock, ainsi que son propriétaire, un homme blond-roux au corps athlétique, aux vêtements sales et froissés : le tueur de Saturnia.

— Recule, intima Jean Kopa. Lentement, lentement.

Il s'exécuta, commença à marcher à reculons dans l'entrée.

— Écoutez, commença Cédric, pour le film que j'ai tourné, vous n'y...

— Tais-toi, coupa Jean Kopa. Va t'asseoir derrière ton bureau.

Ça y est, pensa Rottheimer. Cette fois, ça y est. Il songea à Fabrice, à sa mère et va savoir aussi pourquoi, à Simona Tavianello.

Il s'installa. Bon, dans une seconde je suis mort.

Kopa s'assit dans le fauteuil occupé une dizaine de minutes plus tôt par un silencieux gamin de treize ans. Puis, tenant le pistolet à deux mains, il dévisagea quelques minutes l'enquêteur.

Rottheimer eut soudain très envie de faire pipi.

— Je ne suis pas venu vous tuer, dit Kopa. Je suis venu vous embaucher. Pour savoir qui est vraiment derrière l'attentat de Saturnia.

5

Le monologue du tueur

À 11 h 45, après une réunion et deux tête-à-tête sur l'affaire de Saturnia au ministère de l'Intérieur, Simona Tavianello, qui avait été ramenée chez elle par une limousine, entra dans son garage, ouvrit la portière de sa voiture et dit : « bravo ».

Elle s'adressait au lapin blanc enfermé dans l'habitacle depuis qu'elle l'avait emporté de chez son ami Aldo, en compagnie du chat noir. De retour à Rome, elle était allée tout de suite relâcher le félin sous le pont Sublicio et avait tenté de faire accepter à son mari la présence du rongeur sur leur terrasse. S'en était suivie une dispute furieuse, car, chez eux, Marco n'admettait le règne animal que dans ses marmites.

Si elle félicitait le lapin, c'était parce qu'il avait entamé le bouquet de carottes qu'elle lui avait apporté la veille et obligeamment déposé ses crottes dans le journal qu'elle avait déployé à cet effet sur le tapis de sol de la voiture. Elle secoua le papier au-dessus d'une poubelle, l'étala de nouveau, s'assit au volant. D'un bond, le lapin se hissa sur le siège du passager et elle le prit dans ses bras. Il se laissa faire, montrant par là qu'il appartenait à cette population d'animaux de plus en plus nombreux qui, de guerre lasse sans doute, ont concédé aux humains le droit de les traiter en peluches vivantes. Tandis qu'elle caressait la tête aux longues oreilles palpitantes, elle réfléchit au mail reçu de l'adjudant Rossi, qui avait pris la suite de l'enquête sur le meurtre d'Aldo Maronne : hormis quelques traces anciennes, qui correspondaient sans doute à des voisins comme le *zio* Vitò, la Scientifique confirmait ne pas avoir trouvé d'autres empreintes digitales ou ADN que celles du commissaire principal à la retraite. Et Jacopo Sarasso, le collègue et ami de Bologne qu'Aldo avait voulu aller voir, était toujours injoignable.

Sonnerie du mobile professionnel. Simona fouilla son sac. Le temps de trouver l'appareil, on avait raccroché. Elle consulta l'écran : c'était Rottheimer. Elle commanda le rappel. Tandis que ça sonnait, elle entendit le signal que quelqu'un d'autre l'appelait. Elle plaça l'appareil devant ses yeux. Jacopo.

Elle appuya sur la touche qui lui permettait de prendre l'appel.

— Allô ? Jacopo ?

— Non, ce n'est pas Jacopo, dit une voix d'homme. J'ai trouvé ce portable par terre, j'ai rappelé le dernier numéro appelé. Si vous voulez le récupérer et le rendre à ce Jacopo... Moi, j'ai pas le temps de m'occuper de ça.

— Vous êtes où, monsieur, à Bologne ?

— Bologne ? Pas du tout. À Rome, sur le quai du Tibre. Vous êtes à Bologne, vous ?

— Où ça, sur le quai du Tibre ?

— Près du pont Sublicio. Vous connaissez Rome ?

— J'arrive, je suis là dans cinq minutes. Vous pouvez m'attendre ?

— Cinq minutes, hein ? Je promène mon chien, je suis grand et gros, j'ai un blouson de jean, vous me reconnaîtrez facilement. Un berger allemand.

— Quoi ?

— Le chien, c'est un berger allemand.

Il lui fallut huit minutes pour sortir la voiture du garage, s'insinuer dans la circulation grâce au gyrophare qu'elle avait collé sur le toit du véhicule, se garer près d'une roulotte vendant des sandwichs sous la porte Portese, descendre à grands pas sous le pont et retrouver l'homme et son chien, sous un bouquet de platanes, près des barres de gymnastique en bois encerclées par trois bancs. Sur l'un d'eux, des jeunes gens se bécotaient.

Sous son blouson de jean, l'homme grand et gros au crâne rasé portait un T-shirt avec Snoopy en pleine sieste sur le toit de sa niche. Pendant qu'elle lui serrait la main, le berger allemand fourra immédiatement sa truffe entre les cuisses de Simona qui recula.

L'homme rappela la bête qui partit gambader dans l'herbe de la berge, et il lui tendit le portable :

— Vous connaissez le propriétaire ? demanda-t-il. Vous l'avez prévenu ?

— Non. Il est injoignable, pour l'instant.

Sa grosse main se referma sur l'appareil.

— Je ne sais pas si...

Elle lui montra sa carte.

— Ah, c'est pas pareil, dit-il en rouvrant la main.

— Où l'avez-vous trouvé exactement ? demanda-t-elle en glissant le mobile dans son sac.

Il lui montra l'endroit, au pied des barres de gymnastique. La commissaire scruta le sol.

— Bon, ben je vous laisse..., dit l'homme et il rappela le chien.

— Je vais prendre vos coordonnées, au cas où il faudrait vous recontacter, dit la commissaire en tirant un carnet de son sac tout en pivotant de 45° pour éviter la truffe fouineuse. Vous avez des papiers ?

L'homme lui tendit son permis de conduire en s'abstenant de tout commentaire. Quand elle eut fini, il héla son animal et partit sans dire au revoir.

En regardant s'éloigner l'homme et la bête, Simona Tavianello se tapotait la lèvre supérieure avec son stylo. Quand ils eurent disparu au-delà de l'arche du pont, elle explora la berge en cercles concentriques autour des barres de gymnastique, ne trouva rien. Avant de composer le numéro de la questure de Bologne, elle jeta un coup d'œil dans le fleuve en contrebas. Au département de prévention du crime, elle parla avec l'inspecteur Randazzo, subordonné de Jacopo, qui lui dit que ce dernier n'avait pas réapparu. L'équipe que le vice-questeur Sarasso dirigeait travaillait sur une importante affaire de corruption en Émilie-Romagne et il avait manqué plusieurs rendez-vous. Même s'il avait l'habitude de prendre des initiatives personnelles sans aviser personne, on commençait à s'inquiéter sérieusement. Randazzo avait reçu un coup de fil de l'adjudant Rossi, la veille. Le carabinier lui avait parlé de ce meurtre d'un collègue à la retraite qui avait téléphoné l'avant-veille à Sarasso et devait peut-être rencontrer ce dernier, mais il n'était au courant ni de cet appel, ni de cette éventuelle rencontre. L'inspecteur fut très surpris d'apprendre que le mobile de son chef avait été retrouvé au bord du Tibre à Rome. Si Jacopo ne réapparaissait pas dans la journée, on lancerait un avis de recherche et quelqu'un de Bologne viendrait prendre l'appareil.

Elle avait à peine conclu cette conversation que Rottheimer la rappelait. Il devait la voir de toute urgence, annonça-t-il.

Elle glissa l'appareil dans son sac, jeta un dernier coup d'œil circulaire. Les mouettes criaient au-dessus du fleuve, deux canards descendaient le fil du courant, les amoureux se bécotaient toujours.

Comme elle repassait sous le pont pour remonter à sa voiture, Petit-Gris surgit des buissons de la berge, suivi par le gros chat noir d'Aldo Maronne. Elle écarta les bras comme pour leur dire qu'elle n'avait rien à leur donner à manger. Petit-Gris se laissa caresser, pas l'autre chat. Mais quand elle commença à remonter la rampe menant à la porte Portese, le gris resta sur le quai inférieur, tandis que celui qu'elle baptisa aussitôt Gros-Noir la suivit, traversa au feu avec elle et quand elle ouvrit la portière de sa voiture, il sauta à l'intérieur avec beaucoup de naturel, pour aller s'installer sur la banquette arrière, à côté du lapin blanc, et entamer une longue et minutieuse toilette.

Une heure et demie plus tard, la commissaire Simona Tavianello était de retour, garée au même endroit. Elle ne savait pas trop pourquoi elle était revenue là, elle n'avait pas l'intention de redescendre sous le pont Sublicio, elle voulait seulement réfléchir, et ni son bureau de la *via* Giulia, ni son domicile ne lui semblaient des lieux propices à la réflexion.

Elle repensait à ce que Rottheimer lui avait raconté.

Que le tueur vienne demander à un des rescapés de l'attentat qu'il a commis de l'aider à découvrir le commanditaire ultime de ses actes, c'était un rebondissement comme aucun auteur de polar sérieux n'aurait osé en inventer.

Simona esquissa un geste vers Gros-Noir qui se déroba mais le lapin grimpa sur ses genoux et elle se mit à le caresser d'une main tandis que l'autre cherchait dans son sac le paquet de cigarettes qu'elle venait d'acheter. Elle avait du mal à imaginer Rottheimer en mythomane. Et s'il mentait délibérément, dans quel but ? Elle allait demander à ses adjoints de recueillir le maximum d'informations sur lui. De son côté, elle essaierait d'exploiter celles que l'enquêteur disait détenir. Il fallait qu'elle réfléchisse à la manière de mener des investigations sans passer par les canaux normaux. Selon Rottheimer, le tueur lui avait fait remarquer que la diffusion des images tournées par l'enquêteur et la divulgation de son nom prouvaient au minimum que des gens, dans les milieux de l'enquête, entravaient son bon déroulement. Remarque juste, quel que fût son auteur. Dans l'esprit de Simona, apparut le visage sans expression de Febbraro, le chef des services secrets.

Elle gratta doucement le crâne du lapin. Il ne lui manquait que le ronronnement. Sa main droite ne trouvait toujours pas le paquet de cigarettes. Pas la peine de se remettre à fumer si on oublie ses cigarettes sur les tables de bistrot. On l'avait chargée de résoudre une affaire capitale, celle de Saturnia, elle devrait être en train de distribuer des ordres, de passer des coups de fil, de tenir des réunions. Ses subordonnés devaient se demander où elle était passée. Mais elle se sentait gagnée par une passivité angoissée, comme quelqu'un qui voit venir une catastrophe insidieuse montée des eaux ou lent éboulement, mais se découvre incapable de bouger. Son regard accrocha une espèce de filament collé sur le crâne du lapin. Elle le prit entre ses doigts, l'examina dans la lumière. Un cheveu ou un long poil blond-roux. Avant d'être blancs, les cheveux d'Aldo étaient noirs de jais, et ce qu'elle avait vu de ses poils suggérait qu'ils avaient encore cette teinte. Elle approcha sa tête de la petite tête blanche. Ce qui avait tenu collé le cheveu à la fourrure, c'était une petite tache brunâtre. Du sang, peut-être ?

Elle prit une enveloppe dans son sac, y glissa le cheveu, composa un numéro :

— Licata ? C'est Tavianello. J'ai peut-être quelque chose. Une trace ADN, peut-être du tueur... Non, pas du tueur de Saturnia, du tueur d'Aldo. Oui, je sais, c'est Rossi qui s'en occupe, mais je voulais vous demander quelque chose : quand vous êtes arrivé sur les lieux, les animaux étaient comme je les ai vus ? C'est-à-dire l'âne et le chien attachés, le chat et le lapin, en liberté ? Oui, vous êtes sûr ?... Alors oui, j'ai peut-être une trace ADN...

Sur la banquette arrière, le chat gratta le similicuir en lui tournant le dos et elle crut remarquer que, sur la nuque, seul point que la langue râpeuse ne pouvait atteindre, il y avait une tache d'apparence poisseuse.

— Plusieurs traces ADN, peut-être même, poursuivit-elle. Rien n'est sûr, mais ça pourrait être très utile. Si vous pouviez demander à Rossi d'envoyer un homme... Vous êtes son supérieur, non ? Avec deux cages pour le transport des chats.

Et si je me décidais à m'occuper de l'attentat de Saturnia, maintenant ? pensa-t-elle quand la conversation avec Licata fut terminée. C'est pour ça qu'on me paie, non ? Mais la sensation d'attente angoissée était toujours là, plus forte que jamais. Il lui fallut un gros effort pour mettre le contact.

Sur l'Autostrade du Soleil, Rottheimer, pour la cinquième ou sixième fois, se repassait mentalement le monologue du tueur en essayant de n'oublier aucun détail.

— Pas vraiment confortable, la cave de votre immeuble, avait attaqué l'homme sans cesser de le braquer. Mais il fallait bien que je m'y installe à l'avance, parce que je me doutais que ce matin, vous auriez les flics pour filtrer les entrées devant chez vous. Bah, bon, j'ai connu plus malcommode que ça. Vous savez ce qui me manque le plus, quand je n'ai pas de salle de bains ? De pouvoir me purger. C'est une habitude que j'ai attrapée très jeune, au pension-nat. On avait un éducateur, le père Kovalski, il était complètement fixé sur les purges. Il répétait : « Qui purge son corps nettoie son âme. » Il prétendait qu'en chassant les fermentations de nos chairs, nous évacuions les tentations. Je dois avouer que j'y ai pris goût. Alors, dès que je peux, je prends un sachet de polyéthylène glycol, ça provoque de puissants gey-sers inversés qui nettoient si bien vos intestins qu'on pourrait y manger. Je sais que vous pensez que je suis fou et vous n'avez pas tort mais je suis un fou assez commun finalement, le genre de fou que sa folie n'empêche pas d'accomplir les tâches qu'on lui a assignées. Mais justement, c'est ça mon problème : je ne sais pas qui me les a assignées. Mon employeur direct n'est qu'un intermédiaire, c'est un ancien offi-cier du 11e choc, le colonel Julien Dubien, il dirige la

Défense Dubien, une société de sécurité sise, comme son nom l'indique, à la Défense, oui, Défense Dubien, un jeu de mots très drôle ; avant, les noms de sociétés c'était juste des sigles mais maintenant, elles font appel à des créatifs qui se creusent le ciboulot pour trouver des appellations chics, là c'était facile, ils ont quand même dû recevoir quelques centaines de milliers d'euros pour ça, les consultants ; bref, cette société-là propose aux entreprises de « prévenir et gérer les risques pouvant affecter leur développement international dans des contextes instables ». Ses différents départements couvrent toutes sortes d'activités, du gardiennage à l'intelligence économique en passant par les drones. Il y a aussi un département secret qui dépend directement du patron. Il accomplit des missions homo. Je suppose que vous savez ce que ça veut dire, il ne s'agit pas d'histoires de pédés, mais d'homicides. Je vois que, tout pédé que vous êtes, vous ne sursautez pas quand j'emploie des mots politiquement incorrects, c'est bien, mais je dois spécifier quand même que je considère l'homosexualité comme un péché. Eh oui, je suis croyant, je me confesse régulièrement. Contrairement à ce que vous pensez sûrement, je suis un être moral. Mes missions, j'ai toujours considéré que c'était une manière de servir notre vieille Europe chrétienne, même si ça prenait parfois des voies détournées. Mais c'est vrai aussi que je suis fatigué, j'ai une sœur à charge, je voulais prendre ma retraite mais ça n'a pas plu à Dubien, le colonel Julien Dubien, mon patron. Après l'attentat de Saturnia, il m'a demandé de faire une autre opération homo, ça a failli mal tourner, figurez-vous que j'ai été agressé par un chat et un lapin, le chat m'est tombé sur les épaules, ça m'a fait sursauter, il m'a salement griffé quand je l'ai attrapé, j'ai eu du mal à m'en débarrasser, ça a permis au type de s'enfuir, j'ai trébuché sur un lapin en le poursuivant, la sale bête m'a mordu la cheville au lieu de s'enfuir, le type était à deux doigts de m'échapper. Vous vous dites que je vais vous tuer après vous avoir raconté tout ça. Eh bien non. Je vous l'ai déjà dit : je suis venu vous embaucher. Si vous m'aidez à trouver le commanditaire du meurtre de Saturnia, vous, vous obtiendrez un beau succès professionnel, je vous donnerai disons 30 000 euros et moi, comme je m'arrangerai pour obtenir des clients de Dubien qu'ils lui disent de me lâcher la grappe, je pourrai disparaître en paix avec ma sœur. Qu'est-ce que vous en dites ? Je sais que vous ne pourrez pas vous empêcher d'aller raconter tout ça à la commissaire, la petite grosse, là, je ne sais plus comment elle s'appelle, mais ça n'a aucune importance. D'abord, elle aura du mal à vous croire, et ensuite, au poste où elle est, elle ne peut pas grand-chose. Elle est dans la position commune du vulgum pecus italien : elle va se heurter à toutes sortes de pouvoirs opaques sur lesquels elle n'a aucune prise. Bien sûr, je sais aussi que même si vous acceptez, vous essaierez de me baiser parce que c'est vrai que si l'autre conne n'avait pas crié, c'était vous que je flinguais, et elle en réchappait, c'était le contrat, tuer trois personnes au hasard dans les thermes de Saturnia, pas une de plus et j'ai bien fait le boulot mais Dubien veut quand même m'éliminer, je comprends son point de vue, notez, je suis devenu un poids mort et de nos jours une entreprise digne de ce nom doit se débarrasser de la mauvaise graisse, n'empêche, bon, même si vous voulez me baiser à la fin, on verra bien, moi je sais me défendre, c'est à la loyale, vous pouvez m'être utile parce que Dubien va mettre en branle tout son réseau, tous ses correspondants agents secrets et ex des services secrets, vous devez savoir que dans le business de la sécurité, comme dans tous les business de pointe, la frontière entre privé et public ne signifie plus grand-chose, il y a des tas d'agences où les gens ont double salaire, celui payé par le contribuable et celui payé par le commanditaire, qui est souvent financé aussi par le contribuable, ce qui fait qu'au bout du compte, nous sommes plus fonctionnaires que les fonctionnaires puisque payés deux fois par le contribuable mais je m'égare, donc j'ai besoin de vous, vous êtes mieux à même d'approcher Dubien, on va d'abord baiser Dubien et après, bien sûr, ennemis comme avant, de vous ou de moi, on verra qui baisera l'autre, baisera bien qui baisera le dernier, maintenant, après cette conversation, je vais disparaître, n'essayez pas de me suivre ou je vous flingue, mais je vous recontacterai, vous allez essayer de voir qui est derrière Dubien et quand vous aurez des résultats, vous passerez un coup de fil par Skype à un numéro de portable que je vais vous donner, qu'est-ce que vous en dites ?

— D'accord, avait dit Rottheimer.

« D'accord », répéta-t-il entre ses dents, en accélérant une fois passé la bifurcation pour Nemi.

Un coup d'œil à la pendule du tableau de bord lui apprit qu'il serait à temps à Nice pour prendre un avion pour Paris. Il n'avait pas pu embarquer directement à Rome : s'il avait toujours un permis de port d'arme en France, il n'avait en Italie qu'une autorisation de détention à domicile, il n'aurait pas pu passer le contrôle d'un aéroport italien avec son Manurhin. Et il ne voulait surtout pas se séparer de son Manurhin.

Kopa, en revanche, pouvait embarquer tout son attirail à l'aéroport de Rome. C'était la deuxième fois qu'il se présentait à un contrôle sous le nom d'un lieutenant des ROS. En principe, il ne devait jamais utiliser une deuxième fois une identité vérifiée par la police mais il n'avait pas le choix et il avait bricolé à partir d'un modèle récent une lettre de mission garantissant qu'il devait se rendre à Paris pour une tâche d'assistance technique et de démonstration de matériel, dans le cadre des échanges avec le GIGN français.

Il débarqua à 17 heures à Roissy. Avant d'aller planquer devant chez Rottheimer, rue de Belleville, il prit le temps de se rendre à Notre-Dame de la Confiance, rue de Saussure, dans le 17ᵉ. Il savait y trouver un ecclésiastique selon son cœur : s'il n'était pas d'un intégrisme schismatique, cet ancien aumônier militaire y pratiquait un catholicisme austère, sans concession aux modes ni au modernisme.

En contraste avec l'agitation bruyante des deux zones qu'elle sépare, le quai supérieur du Tibre grondant de trafic et le quartier du campo dei Fiori grouillant de touristes, la *via* Giulia offre une étonnante qualité de silence, seulement habitée par les bruits qu'on guette derrière les hautes portes cloutées, dans les cours où s'entraperçoivent des palmes, des bouts de chapiteau, des fontaines. Ces bruits ont en commun d'être toujours indéchiffrables. La patine BCBG de quelques négoces ternit à peine l'impression de suivre une voie immuable bordée par des siècles d'architecture raffinée et de mystères institutionnels. En passant sous l'arche, plaisamment enguirlandée de vigne, qui relie l'ambassade française à son consulat, Simona songea qu'elle devrait avoir un entretien avec Fabrice, l'amant de Rottheimer, qui travaillait là, dans un des premiers immeubles de la rue en venant du Sud, propriété de l'État français. Je devrais faire tant de choses, pensa-t-elle.

Elle regarda sa montre. 13 h 30. Son assistante, l'inspectrice Sissa Diurno, l'avait rappelée deux fois pour lui dire que Bianchi, le procureur à l'écharpe blanche, et Prontino, le procureur général, l'avaient cherchée. Simona ne l'ignorait pas, puisqu'ils avaient tenté de la joindre sur le portable de travail, mais elle était alors en communication et n'avait pas essayé de les rappeler.

Une heure trente plus tôt, après un échange avec l'adjudant Rossi depuis sa voiture garée sous la porte Portese, elle avait décidé que, plutôt que d'attendre que quelqu'un de la police scientifique de Bologne vienne chercher les animaux, il serait plus rapide qu'elle demande directement la coopération du Bureau central de la police scientifique et tant qu'elle y était, qu'elle amène elle-même les bêtes au laboratoire du bureau, au Polo Tuscolano. Elle avait donc repris le volant et, le temps d'arriver au grand immeuble d'une modernité déjà vieillotte sis 1548, *via* Tuscolana, juste en face de Cinecittà, elle avait passé des coups de fil et obtenu l'accord de divers chefs pour un examen en urgence des cheveux, taches de sang et toutes traces présentes sur un lapin et sur un chat. Sauf qu'une fois arrivée là-bas, on lui avait dit qu'il valait mieux qu'elle laisse sa voiture pour qu'on la passe au peigne fin, au cas où les deux animaux y auraient abandonné quelques traces transportées par eux. Elle était rentrée en taxi et avait demandé à être déposée à l'entrée de la *via* Giulia, sur le quai supérieur du Tibre.

Bon, pensa-t-elle en saluant les gardes dans le hall, il faut vraiment que je me concentre sur l'attentat de Saturnia, sinon, ils vont finir par s'énerver. Que je me concentre, se répéta-t-elle tandis que Sissa Diurno lui résumait l'état des recherches. À quoi peuvent bien ressembler des parents qui sont allés chercher un prénom pareil, s'interrogea-t-elle ensuite pour la énième fois en observant le visage de la jolie jeune femme aux cheveux acajou, aux lèvres discrètement maquillées, aux narines minces et palpitantes sur lesquelles on distinguait le trou du piercing qu'elle n'arborait qu'en fin de semaine. Un soir où elles avaient bu plusieurs apéritifs, après une affaire particulièrement éprouvante, Sissa lui avait confié en riant très fort qu'elle en portait un autre en permanence, un anneau inséré dans l'une de « ses lèvres du bas » et que cela plaisait beaucoup à ses « fiancés ». Simona avait été choquée, non pas par la révélation incongrue mais par l'utilisation intempérante du terme « fiancé ». Le lendemain, leurs relations avaient repris le tour formel qu'elles assumaient encore présentement, et il n'y avait plus eu d'apéritif vespéral prolongé.

— ... Du point de vue des terroristes, disait la commissaire en chef Sissa Diurno, titulaire d'un master 2 de l'École supérieure de police d'État et première d'un stage du FBI, les thermes sont une cible bien

134

choisie, puisque la direction s'est toujours refusée à y poser des caméras de surveillance, pour préserver la *privacy*. Heureusement, là comme dans tous les lieux de loisirs, les gens passent leur temps à se photographier et se filmer avec leurs portables. Licata y a pensé. Vous savez que ses hommes mènent l'interrogatoire systématique de tous les gens présents dans les thermes au moment de l'attentat, enfin tous ceux dont on a relevé l'identité quand la police est arrivée sur les lieux. Il y a d'autres personnes qui sont parties avant, bien sûr. En tout cas, plusieurs participants ont tourné des vidéos pour leur propre compte avec leur mobile et nous les ont remises. Mais Licata s'est douté qu'après la diffusion de la vidéo faite par Rottheimer et de son identité, certains pourraient être réticents à fournir des images. À chaque interrogatoire, il a fait savoir qu'on pouvait lui envoyer des enregistrements de manière anonyme. En attendant de visionner tout ce matériel, nous avons examiné de près ce qu'a tourné Rottheimer. Bien sûr, il a arrêté de filmer bien avant l'arrivée du terroriste, mais nous avons quand même mis la main sur un détail plus qu'intéressant. Regardez ça...

Sa main saisit la télécommande et la pointa sur l'écran placé dans un coin du bureau de Simona.

Au premier plan, Frédérique et Roberto se touchaient, s'embrassaient, se baignaient. Les vapeurs soufrées aggravaient le flou de l'image, on distinguait vaguement derrière eux des corps qui se laissaient flotter, des corps qui se déplaçaient au bord des bassins, des corps qui s'alanguissaient sur les chaises longues, des corps qui s'abandonnaient au moelleux martèlement des jets et des cascades. Puis Sissa

Diurno bloqua le défilement et l'image s'immobilisa sur un homme étendu dans l'herbe, en bordure du dernier bassin. L'index de l'assistante pressa des touches et un visage, après plusieurs mises au point, grossissements et jeux de pixels, apparut.

— Gioacchino Palomara, le présenta Sissa. Troisième et dernier fils de Cinzia et de Beppe Palomara. Beppe est en prison, ainsi que son frère aîné Claudio, le chef de la famille, condamné à plusieurs peines de perpétuité pour association mafieuse, extorsion, meurtre, trafic international d'armes et de drogue.

— Je sais, dit Simona. Même si ça fait un moment que je ne m'étais pas occupée directement de la 'ndrangheta[1], je me tiens au courant. Mais les Palomara sont une famille perdante, poursuivis par la vendetta acharnée des Morabito. À ma connaissance, en ce moment, ils devraient être occupés à serrer les fesses et se planquer, plutôt qu'à se mêler de terrorisme. À moins que la présence de Gioacchino Palomara ne soit un hasard ?

Le dernier mot avait été avancé sur un ton incertain car le regard de la commissaire Tavianello avait croisé celui de sa subordonnée. Elle reprit une voix neutre :

— Vous m'avez parlé de deux nouvelles importantes ?

— Oui. La deuxième, c'est le rapport de la cellule Islam de l'Ucigos : la revendication expédiée dix minutes après l'attentat leur paraît plus que douteuse. C'est une copie presque conforme d'une autre revendication diffusée sur Internet après des assassi-

_____

1. La 'ndrangheta est la mafia calabraise.

nats en Algérie par l'organisation al-Qaida au Maghreb islamique. Quelqu'un a fait un copier-coller et arrangé un peu la sauce pour l'adapter à l'attentat de Saturnia.

D'un mouvement de tête, Simona Tavianello rejeta en arrière la mèche blanche qui lui avait glissé sur l'œil quand elle avait penché le visage pour fixer l'écran. Elle laissa passer quelques secondes de silence puis :

— Bien, fit-elle en posant la main sur la chemise que Sissa lui avait remise à son arrivée. Le reste, je le lirai. Vous pouvez me laisser. Je vais être absente pour le reste de la journée.

— Mais…

— Oui ?

Sissa se leva en repoussant son siège à roulettes, croisa les bras, se mordilla la lèvre supérieure avant de s'exprimer :

— Excusez-moi, Simona, mais je préfère parler franchement. J'ai toujours beaucoup de plaisir à travailler sous vos ordres. Vous savez que je vous admire. Mais ce coup-ci… Hier, vous étiez à peine là, et aujourd'hui, vous êtes encore injoignable toute la matinée, vous ne donnez aucune directive particulière, on dirait que ça ne vous intéresse pas de diriger cette enquête. Et Bianchi et Prontino ont l'air de penser comme moi…

Elle avait parlé de plus en plus vite avant de s'interrompre soudain, bouche entrouverte, le regard fixant le vide.

— Excusez-moi, murmura-t-elle en baissant les yeux.

— Vous n'avez pas à vous excuser, vous avez raison de me dire votre sentiment. Voici une directive pour vous : travaillez en profondeur sur la société des thermes de Saturnia. Il me faut un rapport d'ici à une heure. Si je suis partie, vous me le téléphonerez.

Comme Sissa se levait, Simona dit :

— Attendez, je n'ai pas fini. Je sais que les hommes que nous avons postés *via* dei Serpenti, près du domicile de Rottheimer, ont pour consigne d'éloigner les journalistes et les équipes de télévision. Mais je veux que vous envoyiez des gens pour vérifier la présence éventuelle de caméras de surveillance dans la rue, il y en a partout maintenant, près des banques aussi bien que des immeubles privés. Je m'intéresse au va-et-vient dans la rue ce matin et surtout hier à partir de l'après-midi. Il faudrait vérifier si certaines de ces caméras ont pu filmer les entrées et les sorties dans l'immeuble de Rottheimer.

— Compris. Entendu. Ce sera fait.

— Pour le reste, je vais voir Bianchi de ce pas, conclut Simona en se levant, les mains appuyées sur le bureau comme si le mouvement lui coûtait.

— Tu veux du Coca ? proposa Giovanna.

Le garçon secoua la tête. C'était la deuxième tentative de Giovanna pour entendre sa voix depuis le début de l'après-midi. Quand Domenico et Ricardo Gardonni étaient sortis de l'ascenseur, elle les avait accueillis sur le palier. Après avoir serré la main du père, elle avait voulu embrasser le fils mais il n'avait concédé que l'extrême bord d'une joue avant de se reculer vivement. Et quand elle lui avait demandé : « Comment va ta sœur ? » il s'était contenté de la regarder droit dans les yeux sans mot dire et c'était son père qui avait répondu que l'état était stationnaire.

138

À présent, la réunion tirait à sa fin, on avait voté la constitution d'une association. Sur la terrasse de 150 m² où, dans des pots géants, poussaient des oliviers, des cyprès, des buissons de romarin, des lianes de kiwis et des brassées de bougainvillées répandus sur une pergola, les participants sirotaient le thé ou du porto servis par la bonne philippine. Outre Domenico Gardonni et Roberto Benedetti, Giovanna avait réussi à contacter une douzaine de personnes grâce aux interviews de blessés de l'attentat diffusées sur toutes les chaînes, qui lui avaient livré des noms cherchés ensuite dans l'annuaire. Le lieutenant Licata avait promis de fournir une liste complète, mais il devait respecter des procédures, cela prendrait quelques jours.

Giovanna laissa Ricardo assis au bord d'un fauteuil d'osier et se rapprocha de son père, qui était accoudé à la balustrade. Elle lui montra, de l'autre côté de la *via* Pinciana, huit étages plus bas, les jardins somptueux de la villa Médicis. Le bâtiment le plus proche était long, rectangulaire, à un étage. Plutôt disgracieux.

— C'est là qu'habitent les pensionnaires de la villa Médicis qui ont de la famille avec eux. Ils appellent ça Sarcelles. Un peu exagéré, n'est-ce pas ?

Domenico esquissa un sourire. Mais il n'eut pas le temps de répondre. Un des participants à la réunion, un jeune type dont la masse corporelle répartie sur le squelette suivant les normes culturistes occupait tout un divan d'osier, était en train de tapoter de sa cuillère contre un verre pour attirer l'attention.

— Écoutez-moi, dit-il en tirant de la main droite sur le tissu de l'écharpe où reposait son avant-bras gauche. Excusez-moi une seconde, on n'a pas réglé un détail. Le nom de notre association. Je propose « Association des victimes et parents de victimes de l'attentat de Saturnia ». Qu'est-ce que vous en dites ?

Sur la terrasse, on échangea regards, mimiques, hochements de tête. La chose paraissait acquise. Et puis une jeune voix s'éleva.

— Je ne suis pas d'accord, dit Ricardo.

Tous les regards convergèrent vers lui, il y eut un toussotement, puis deux, quelqu'un chuchota quelque chose, on attendait la suite mais le garçon semblait replongé dans son mutisme, le regard dans le vide.

— Tu peux nous dire pourquoi ? demanda Giovanna.

Pas de réponse. À présent, Ricardo regardait ses chaussures.

Domenico s'assit à côté de son fils, voulut le prendre par l'épaule mais l'enfant se déroba. Son père sentit la douleur revenir dans son dos.

— Bon, fit le culturiste, on peut peut-être…

La voix de Ricardo s'éleva, plus forte. Et tandis qu'elle s'élevait et s'affirmait de plus en plus, mais toujours avec une bizarre fêlure, un étrange silence s'installait :

— Je ne suis pas d'accord pour le mot « victimes ». Dans mon lycée, ceux qu'on appelle les victimes, c'est ceux qui se laissent maltraiter par les autres. Ceux qui ne se défendent pas. Je trouve que ce serait mieux un nom comme « Association pour la Vengeance ».

6

En douceur, vraiment en douceur

— Ce que je préfère dans les romans, ce sont les descriptions, dit George Palo en contemplant le reflet rouille et mordoré du couchant sur les vitrages des tours de la Défense.

— Je ne lis jamais de roman, rétorqua le colonel Julien Dubien, qui se tenait debout à côté de lui devant la baie vitrée.

— Et vous avez tort, assura l'autre en déplaçant son regard vers la dalle, soixante étages au-dessous, où des points bougeaient, signalant que tout était pour le mieux en bas, puisque des cadres zélés étaient encore restés devant l'écran du bureau bien au-delà de l'horaire obligatoire. Vous avez grand tort, insista-t-il, vous apprendriez beaucoup de choses utiles à votre métier en lisant des romans.

— Utiles à quoi, par exemple ? s'enquit Dubien.

— Par exemple, à bâtir une histoire. C'est aussi votre métier, de bâtir des histoires, non ? Votre boulot, en tant que spécialiste de la sécurité, c'est de raconter au monde des histoires qui font peur. Des histoires sans lesquelles le monde, tel qu'il va, n'irait plus. Des histoires qui vous permettent d'équiper le monde en caméras, et d'embaucher toujours plus de personnel de surveillance.

Dubien tourna la tête pour considérer son interlocuteur d'un œil perplexe. Ce type tenait parfois des propos qui cadraient aussi mal avec sa tenue impeccable de manager que son système pileux qui semblait toujours prêt à déborder au-delà du convenable. Il émit un claquement de langue agacé.

— Et à part ces considérations qui rappellent votre jeunesse gauchiste, que désiriez-vous me communiquer, monsieur Palo ?

Le dénommé George Palo eut un rire franc.

— J'apprécie que vous me démontriez l'efficacité de vos services de renseignements, monsieur Dubien. Mais vous ne devez pas prendre mes discours en mauvaise part : j'envisage de proposer à mon patron d'investir dans la sécurité, et je cherche à me faire une idée des principes qui régissent le secteur, c'est tout. Toutefois, je ne suis pas là pour ça. J'ai besoin de vos services, et d'urgence.

— Je vous écoute, dit Dubien en montrant de larges fauteuils de cuir noir tournés vers la baie, un peu en retrait.

Ils prirent place. Palo considéra la considérable masse de son interlocuteur : du muscle, un regard droit, un menton haut, un nez gaullien, un crâne rasé, un costume sévère et seyant, l'ensemble eût composé le parfait tableau du baroudeur reconverti, n'était le mauvais goût de la montre de marque présidentielle, et la boucle d'oreille. À vingt ans, à la fac d'économie, Palo avait voulu porter une boucle comme bon nombre de ses congénères mais ça s'était infecté, il s'était trimballé un mois sous les quolibets avec une oreille disproportionnée, puis l'orifice s'était rebouché, mettant fin à toute velléité transgressive. Il avait du mal à combattre l'antipathie que suscitait la vue de cette boucle à l'oreille d'un sexagénaire dirigeant l'une des plus importantes officines de sécurité française.

C'est pourquoi, tandis qu'à la même heure Simona Tavianello caressait l'anneau à l'oreille de son mari en lui annonçant qu'il allait être content puisqu'elle avait démissionné, Palo ne put empêcher une certaine agressivité de percer dans sa voix quand il demanda :

— Je suppose que vous connaissez parfaitement le monde des mercenaires ? Même ceux qui seraient prêts à accomplir des missions illégales ?

L'autre soutint son regard sans ciller.

— Dix ans à la DGSE m'ont en effet donné une bonne connaissance de ces milieux. Mais je vous avertis tout de suite que la Défense Dubien n'agit jamais que dans le strict respect des lois existantes.

— Bien entendu. Je ne vais rien vous demander d'illégal, assura George Palo, tandis qu'à deux mille kilomètres de là, Simona Tavianello expliquait à son mari qu'elle ne croyait plus assez que le règne de la loi méritât d'être défendu.

Une demi-heure plus tard, quand son visiteur fut parti, Dubien s'assit à son bureau. Il avait commencé à composer un numéro sur son smartphone à double cryptage AES 256 et Twofish, quand l'appareil sonna. Il jeta un coup d'œil au numéro appelant, prit la communication.

— Levieux ? dit-il.

— Oui, c'est moi, dit une voix dans son oreille. Il y a une nouvelle complication.

— Je t'écoute, dit Dubien et, pendant une minute, il écouta puis dit : Je te rappelle. Il coupa et recomposa le numéro précédent.

On décrocha :

— C'est urgent ? Je suis en réunion.

— Oui, c'est urgent.

— Attendez, je me déplace.

Le locuteur s'exprimait dans un anglais excellent mais avec une trace d'accent donnant à penser que ce n'était pas sa langue maternelle. Au bout d'un instant, il reprit :

— Alors ? Je vous écoute.

— George Palo est venu me demander de retrouver le tueur de Saturnia. Il pense que le coup vient des Partenaires Associés. Il voudrait que je prouve leur implication.

— *Cazzo ! È troppo buffo,* putain, c'est trop drôle, dit le correspondant, comme ça, en italien d'abord et en français ensuite, puis changeant de ton, passant soudain à la fureur extrême : *Porca troia,* il a bien reçu le message, mais il veut encore attaquer ? Il n'a pas encore compris ce que ça représente, les Partenaires Associés, la puissance que c'est ? Il croit qu'il a affaire à des idiots auxquels les parents ont payé les prépas, hein, c'est ça ? À des fils de bourges qui ont fait Yale et le MBA de Harvard, comme il a dit son patron, il nous confond avec les sniffeurs de coke de la City, ce branleur ? Il sait pas d'où on vient, tous tant qu'on est ? Il a pas compris qu'on peut la lui mettre bien profond dans le cul, aussi profond qu'on veut ? Il veut qu'on tue encore ? Et que ça se rapproche encore plus de lui ? Mais quel con ! Putain, c'est pas possible de faire des affaires avec des cons pareils…

Changeant d'humeur de nouveau, il eut un rire détendu :

— Et c'est à vous qu'il vient demander ça !

— Il ne pouvait pas savoir que vous m'aviez déjà contacté et que je travaille pour vous.

Il y eut un silence puis :

— Vous en êtes sûr ? Ça ne pourrait pas être une façon de vous faire comprendre qu'il a compris que vous êtes dans le coup, et d'essayer de vous acheter ?

— Je ne crois pas qu'il soit aussi tordu... («... que vous », avait failli ajouter Dubien).

— Bon, raison de plus pour en finir avec Kopa. Vous n'aurez la deuxième partie de la somme que quand il sera éliminé.

— Ce n'était pas ce que prévoyait le contrat.

— Le contrat prévoyait un travail « propre ». Il ne sera pas propre tant que ce cinglé sera en circulation. Je ne comprends toujours pas pourquoi vous avez eu recours à ses services.

— C'est vous qui avez exigé qu'on travaille dans l'urgence.

Nouveau silence, puis l'interlocuteur reprit :

— Alors, retrouvez Kopa, ça fera plaisir à votre nouvel employeur, non ? Comme ça, ça vous fera double paie ! Et si Kopa a un accident empêchant de remonter à nous, ça ne sera pas votre faute !

— Je m'en occupe. Croyez-moi, je m'en occupe... Mais il y a autre chose.

— Quoi encore ?

— Rottheimer, l'enquêteur privé, est à Paris. Mon assistant m'apprend qu'il vient de demander des informations sur mon entreprise et sur moi à un de ses anciens collègues de la Direction centrale du renseignement intérieur, à qui il croyait pouvoir faire confiance. Sur ce point, heureusement, il se trompait.

— Чёрт ! dit l'interlocuteur, décidément polyglotte puisqu'il disait merde en russe, il faut faire sortir aussi ce Rottheimer du tableau. Et vite. Mais en douceur, vraiment en douceur. C'est déjà un personnage public, il faut absolument éviter un scénario du genre : « élimination du témoin gênant ».

— Là-dessus, vous pouvez aussi compter sur moi, assura Dubien. Nous allons construire une histoire aussi vraisemblable que possible... un beau roman bien convaincant, conclut-il.

— Je vous fais confiance. Mais il y aurait quelques détails à débattre. On ne pourrait pas retourner chez votre amie, ce soir, pour en parler tranquillement ?

Dubien émit une sorte de gloussement surprenant chez un homme aussi viril.

— Ah ! Je vois que vous y prenez goût. D'accord. On joindra l'utile à l'agréable.

Avant de couper, on convint de l'heure.

— Rita et moi, disait Domenico en contemplant son verre de limoncello glacé, c'est une histoire presque aussi vieille que nous. Nous nous sommes connus à la crèche et c'est seulement quand nous avons appris que j'avais un cancer incurable, il y a un an, que nous avons compris que notre vie commune allait finir, par la soustraction d'un de nous deux. Et voilà que cet assassin nous amène son insupportable coup de théâtre, que le premier qui part n'est pas celui qu'on croit...

Il se racla la gorge et jeta un nouveau coup d'œil sur son fils qui, à l'autre bout de la terrasse, évoluait depuis une heure dans un univers parallèle grâce à l'ordinateur portable que lui avait prêté Giovanna. Les quelques membres fondateurs de l'Association Vérité et Justice pour Saturnia qu'elle avait retenus à dîner étaient répartis en divers points de la terrasse. Un couple dont la fillette s'était cassé toutes les incisives en fuyant sous les rafales d'Uzi se tenait la main en contemplant le couchant depuis le canapé-balançoire. Le culturiste au bras en bandoulière et l'époux d'une femme dont une balle avait arraché le mollet se resservaient des desserts. Roberto Benedetti était accoudé à la balustrade donnant sur la villa Médicis. Le jour n'en finissait pas de finir.

— Pour lutter contre la douleur, reprit Domenico après avoir vidé d'un coup son verre, je fume des joints d'un excellent cannabis qu'un ami à moi cultive en Ombrie. C'est assez efficace, mais bien sûr, il y a des effets secondaires, pas toujours contrôlables. Il y a une semaine, j'avais fumé sur le balcon, Rita est venue me chercher pour boire le thé à la cuisine… La beauté de ma femme a toujours été pour moi une donnée acquise et vérifiée chaque jour, il n'y a pas un matin où je n'ai pas pensé : qu'est-ce qu'elle est belle ! Et là, dans la cuisine, tandis qu'on buvait le thé, j'ai voulu faire ce que je fais… ce que je faisais si souvent… la dévorer du regard. Et tout à coup j'ai vu les rides innombrables qui couraient sur son visage. Sans doute des rides déjà existantes que je ne voyais pas à force de les voir chaque jour, d'autres peut-être encore à venir ou déjà là mais invisibles encore pour un œil normal, ou bien je les ai juste imaginées, ces rides, je ne sais pas, en tout cas le visage de Rita s'est couvert d'un coup sous mes yeux de rides. Et j'ai pensé : elle est toujours aussi belle, c'est merveilleux mais aussitôt après elle est vieille déjà, et elle va encore vieillir et je ne le verrai pas et ça, bizarrement, ça m'a paru plus désespérant que tout.

— Tu es sûre que tu veux vraiment tout arrêter comme ça ? En plein milieu d'une enquête ? demanda Marco Tavianello en prenant la main de sa femme pour la tenir entre les siennes.

Simona recula le buste jusqu'à ce que ses épaules s'appuient contre le dossier du canapé.

— Par chez moi, dans le delta du Pô, les paysans ont appris depuis des siècles à bloquer le courant, le détourner, le canaliser. Avec leurs écluses et leurs vannes, en ouvrant ici et en fermant là, ils amènent l'eau là où ils veulent. Je crois que c'est au même genre de technique qu'on se heurte, toi, moi et quelques autres, depuis des dizaines d'années. À part notre pittoresque Premier ministre, personne ne s'oppose jamais frontalement aux enquêtes de police et aux instructions judiciaires. Mais on a développé au plus haut degré l'art de les canaliser. Je suis fatiguée qu'on m'amène là où on veut. Sauf quand c'est toi qui m'amènes à l'orgasme, conclut-elle en déboutonnant son chemisier pour extraire la blanche abondance de ses seins hors de leurs bonnets brodés.

Rottheimer replaça le téléphone sans fil sur son socle. Effet d'un prélèvement automatique jamais résilié, le fixe de son appartement de la rue de Belleville, vide depuis deux ans, fonctionnait toujours.

Il était sûr de pouvoir faire confiance à son ex-collègue récemment promu à la DCRI. L'homme, auquel il avait pu éviter autrefois une accusation de proxénétisme aggravé, lui vouait une reconnaissance dont le caractère éternel était garanti par le fait que son sauveur disposait d'informations sur son passé qui pourraient encore s'avérer gênantes. Il avait promis de fournir un maximum d'informations sur Défense Dubien avant le lendemain midi.

L'ex-flic décapsula une bière et ouvrit le carton contenant deux rations de bò bún achetées à la boutique vietnamienne à côté de l'entrée de l'immeuble. Quand il eut tout mangé et tout bu, il rota, se lava les mains et considéra l'appartement où il avait habité avec un scénariste de télévision. Le plancher noir, les meubles dont l'inconfort se voulait moderniste, la nudité volontaire des murs, tout cela soudain lui sembla sot et laid. Était-ce d'avoir vu la mort en face qui donnait à son regard cette acuité ? En tout cas, cela ne dura pas. Très vite, une explication psychologique — il avait pris l'appartement en grippe parce qu'il lui rappelait la rupture avec le scénariste — lui permit comme à nous tous de revenir à la surface des choses, là où nous ne percevons plus leur profonde laideur.

Le voyage l'avait épuisé. Il s'étendit sur le divan rouge vif en se disant qu'il allait dormir un quart d'heure et, tandis que le sommeil le gagnait, Jean Kopa sortait de Notre-Dame de la Confiance après avoir récité dix Notre Père et vingt Je vous salue Marie. Sur le parvis de l'église, il héla un taxi.

Réveillé en sursaut par un cauchemar, cinq minutes après s'être endormi, Cédric Rottheimer composa le numéro du portable privé de Simona Tavianello. Comme elle ne répondait pas, il laissa un message en italien :

— Bonsoir, Simona. C'est Cédric. Pouvez-vous me rappeler d'urgence ?

Puis il composa le numéro du portable de Fabrice, et là aussi tomba sur un répondeur. Cette fois, il raccrocha sans laisser de message.

Sur le boulevard de la Villette, Jean Kopa se rappela qu'il devait renouveler sa provision de mobiles et avisant une boutique qui en vendait, il fit arrêter le taxi deux cents mètres plus loin et lui laissa un billet de vingt euros en lui demandant de l'attendre.

— Je n'en ai pas pour longtemps.

Il remonta le trottoir de ce quartier où le gris des murs et des vies déteint sur les peaux du Sud. Avant d'entrer dans la boutique, il passa un brassard « Police » et tira le Glock de sous sa veste, mais sans ôter la sécurité.

Deux minutes plus tard, il ressortait avec un sac bien rempli.

Comme il remontait dans le taxi, un portable tomba sur le tapis de sol et le chauffeur lui demanda s'il en avait à vendre.

— Je savais que Frédérique voulait me quitter, disait Roberto Benedetti à Giovanna tandis que dans leur dos, Domenico et son fils discutaient tactique de jeu devant l'écran de l'ordinateur. Elle voulait me quitter depuis longtemps. Je n'ai pas été surpris d'apprendre cette histoire de détective privé lancé à nos trousses par son mari pour mettre notre relation en images et s'en servir pour son exposition. Je connais Play, et je connais… je connaissais Frédérique. Il est même possible qu'elle ait été complice. Elle ne m'aimait plus depuis longtemps. Lui non plus, elle ne l'aimait plus depuis longtemps. Mais elle tenait plus à lui qu'à moi, parce qu'il lui donnait beaucoup d'argent, et un statut social, et puis elle était attachée à leur passé commun. Si elle ne me quittait pas, je crois que c'est parce qu'on avait trouvé un accord exceptionnel au lit, et aussi parce qu'elle avait pitié de moi. Je savais tout ça, et je l'acceptais. Ça paraît extravagant, mais le fond de l'affaire est très banal : je l'aimais au point de tout accepter. Mais ce que je n'accepte pas, ce que je n'accepte pas du tout, alors là, pas du tout du tout, c'est qu'elle soit morte, conclut-il en laissant échapper un sanglot, et Giovanna lui posa une main sur l'épaule en pensant « Putain, il va y en avoir encore combien à me déverser leurs confidences ? ».

Puis elle se leva et lança à la cantonade :

— On appelle Rottheimer ?

Petit-Gris ronronnait à corps perdu, tourné vers le Tibre, bien calé dans le creux des cuisses serrées de Simona, les pattes avant sur les genoux ronds, l'arrière-train collé contre le ventre qu'une demi-heure plus tôt Marco avait longuement léché. À ses pieds, la bande de félins croquait les dernières croquettes. Au-dessus des eaux en mouvement, le son de la trompette allait et venait. Ce soir, c'était Mingus.

Simona revivait la conversation qu'elle avait eue avec le procureur Antonio Bianchi.

— Tout ça s'enchaîne trop bien, lui avait-elle dit. D'abord, cette revendication pour laquelle je manifeste mon incrédulité. Ensuite, la confirmation que j'ai eu raison de me méfier puisque cette revendication semble fabriquée à partir d'un modèle disponible sur Internet. À moins d'être des amateurs complets, et je ne vois pas des amateurs complets mener cette opération, les gens qui ont lancé la revendication bidon devaient bien se douter qu'on découvrirait tôt ou tard comment elle avait été fabriquée. Ensuite, il y a eu l'apparition d'un 'ndranghetiste. On voudrait me diriger sur la piste des Palomara qu'on ne s'y prendrait pas autrement.

Ce jour-là, Bianchi avait opté pour un nœud papillon. Tout le temps où elle avait parlé, il n'avait cessé de le tripoter de sorte que l'ornement penchait sérieusement vers la droite lorsque le procureur le lâcha pour demander :

— « On » ? Qui ça, « on » ?

Simona avait eu un brusque mouvement de la tête comme un animal agacé par une mouche, et poursuivi sans répondre à la question :

— Vous savez aussi bien que moi que les pouvoirs occultes, quand ils sont à un certain niveau de puissance, préfèrent toujours fournir à la justice un coupable qui les arrange. Les jours des Palomara sont comptés, les trois fils aînés ont été abattus en Allemagne, deux de leurs affidés ont été liquidés au Brésil où ils s'étaient réfugiés. Ils représentent le cas typique de la famille perdante victime de vendettas croisées, leur puissance de feu est presque nulle, et vous croyez vraiment que dans cette situation ils iraient se lancer dans du terrorisme faussement islamique ? Je trouve plutôt qu'ils peuvent être de parfaits boucs émissaires. Et puis il y a autre chose, vous n'avez pas voulu me répondre quand je vous ai interrogé sur les raisons pour lesquelles on nous avait choisis, nous, pour diriger l'enquête, et pas l'Ucigos, ce qui aurait été plus normal, dans un cas d'attentat terroriste. C'est comme si on savait à l'avance qu'il s'agissait d'une piste mafieuse.

— Encore « on » ? Mais qui sont ces « on » ?

— Je pense que quelque part, dans un de ces lieux neutres où des serviteurs de l'État côtoient des représentants des pouvoirs occultes, une loge maçonnique par exemple, quelqu'un a dit à quelqu'un d'autre — quelqu'un d'autre qui était peut-être notre procureur national antimafia, Prontino en personne, ou peut-être vous-même, ou un de vos collègues — qu'une opération importante de la mafia se préparait. À moins que ce ne soit simplement un tuyau direct d'un informateur très bien placé. En tous les cas, vous ne me dites pas tout. Et j'aimerais bien comprendre quel jeu joue exactement Febbraro, dans quelle mesure il est en contact avec les mandataires du tueur, j'aimerais être sûre qu'il n'est pas en train de négocier avec eux, comme les services ont négocié avec la mafia après les attentats de 93. Mais pour cela, il faudrait que vous me disiez vraiment tout ce que vous savez.

Bianchi ouvrit une boîte de toscans, les fixa brièvement sans les toucher, referma la boîte et, d'un geste soudain sûr, ajusta son nœud pap dans une position parfaitement horizontale.

— Simona, attaqua-t-il sèchement, vous devez vous ressaisir. Depuis le début de cette enquête, vous avez adopté un comportement très peu professionnel. Au lieu de travailler sur le dossier avec la puissance de bulldozer que je vous connais, vous vous lancez dans une autre enquête concernant la mort de votre ami Aldo Maronne, votre fameux Magicien. Je comprends que cette affaire vous tienne à cœur mais ce n'est pas à vous de la traiter… à moins que vous ne croyiez que la mort de votre ex-collègue ait un rapport avec l'attentat de Saturnia ? demanda-t-il en fixant la commissaire.

153

Simona secoua sa crinière blanche.

— Pour l'instant je n'en sais rien. Mais Aldo, apparemment, avait quelque chose de très grave à nous dire, sinon il n'aurait pas décidé d'aller à Bologne pour voir le vice-questeur Jacopo Sarasso. C'était la première fois depuis sa retraite qu'il avait décidé de sortir de son trou. Et la première fois qu'il prenait l'initiative de nous appeler. Auparavant, c'était toujours les autres qui prenaient de ses nouvelles. Et Jacopo Sarasso n'a toujours pas réapparu.

— Tout cela est très intrigant, mais tant qu'il n'y aura pas de rapport évident entre les deux affaires, vous êtes priée de vous occuper exclusivement de celle de Saturnia. Et pour commencer, cessez de vous perdre en spéculations sur des complots tordus. Je ne voudrais pas vous offenser mais c'est à se demander si, après toutes ces enquêtes si vastes et si complexes, vous n'avez pas sombré dans une forme de paranoïa.

Simona redressa le buste et planta son regard dans celui de Bianchi.

— Monsieur le procureur Bianchi, je vous le demande formellement : vous n'avez rien à me dire, pas d'informations que vous garderiez pour vous ?

Bianchi soutint son regard.

— Non. Et je trouve votre insistance particulièrement déplaisante.

Simona se leva.

— Monsieur le procureur, j'ai l'honneur de vous annoncer que je démissionne de la police. Dans une demi-heure, je serai sortie de mon bureau pour ne plus y revenir. Je suis prête à assumer toutes les conséquences de mon geste, et notamment en termes de revenus.

Bianchi blêmit, s'agita sur son siège.

— Ne dites pas de bêtises. Vous savez bien que, médiatiquement, ce serait catastrophique si vous, responsable de l'enquête...

— Je ne sais plus qui a dit, dans une autre époque, quand il existait une URSS et des partis satellites, que l'adverbe « objectivement » avait fait beaucoup de morts. Vous venez de prononcer l'adverbe correspondant à notre époque : « médiatiquement ». Je pense que les morts de Saturnia font partie d'un plan média et que vous possédez des éléments à ce sujet que vous refusez de me communiquer. Il y a trop longtemps que j'ai le sentiment que les enquêtes que je mène se heurtent à toutes sortes de pouvoirs opaques sur lesquels je n'ai aucune prise, conclut Simona en se rendant compte avec effarement qu'elle reprenait mot à mot les paroles du tueur telles que Rottheimer les lui avait rapportées... Et j'en ai marre.

Puis elle ouvrit la porte et sortit sans prendre garde aux invitations à la raison, que, d'une voix tour à tour stridente, tonnante, suppliante, éperdue, lui adressait le procureur.

Pas plus compliqué que ça, pensa Simona. Foutre en l'air une brillante fin de carrière et se retrouver avec une retraite amputée de moitié, c'est vraiment très simple, au fond, conclut-elle sans parvenir à se sentir préoccupée. Petit-Gris sauta de ses cuisses, dégoûté qu'elle eût accordé une caresse à la Noiraude, et la commissaire tira de son sac son portable professionnel pour le rallumer. Bianchi avait rappelé sept fois sans laisser de message, Prontino trois fois, Sissa et Rottheimer avaient laissé un message. Mais pas d'appel de Rossi ou du laboratoire du Polo Tuscolano.

L'analyse des traces éventuellement laissées par le tueur sur le lapin et le chat n'était apparemment pas terminée.

Sissa annonçait qu'il y avait des images intéressantes sur deux caméras de surveillance, l'une et l'autre situées sur le trottoir de chez Rottheimer. Ce dernier demandait à être rappelé d'urgence. Simona s'exécuta mais elle tomba à son tour sur un répondeur et coupa sans laisser de message.

La trompette s'était tue, les chats avaient disparu un à un dans les herbes de la berge. Simona se leva de son banc. Le drapeau de l'ordre de Malte pendouillait, il n'y avait pas un souffle, l'air était moite. Il était temps de rentrer à la maison.

Assis, debout, adossés à une bibliothèque ou appuyés d'un coin de fesse au bord d'une table, les derniers membres fondateurs de Vérité et Justice pour Saturnia encore présents chez Giovanna Grassi étaient réunis dans son bureau, autour d'un téléphone fixe qu'on avait mis sur haut-parleur, et ils écoutaient la sonnerie qui insistait pour la sixième fois.

— Allô ? fit enfin la voix de Rottheimer.

Giovanna Grassi se pencha sur son fauteuil pivotant :

— Rottheimer ? Ici Giovanna Grassi. Nous avons suivi votre conseil, nous avons créé une association.

— Ah, c'est très bien, comme je vous l'avais dit, ce sera plus facile pour vous de m'embaucher et d'agir légalement désormais.

— Nous sommes plusieurs à vous écouter en direct, nous aurions quelques questions à vous poser, dit Giovanna en haussant la voix car un bruit de circulation intense montait du haut-parleur.

— Je suis à votre disposition. Une seconde seulement. Je suis à Paris et je traverse… ehhh merde !

Tandis qu'il parlait, un grondement de moteur avait monté, de plus en plus puissant. Une rumeur de freinage brutal emplit toute la pièce tandis que ses occupants se figeaient.

— Allô ? Allô ? lança Giovanna.

Pas de réponse. En arrière-fond, des gens appelaient, parlaient fort, des portières claquaient. Il n'y avait plus aucun bruit de moteur. Puis une voix inconnue reprit la communication :

— Allô ?

— Allô ? Où est M. Rottheimer ? Il lui est arrivé quelque chose ?

— Le monsieur a été renversé par un camion, dit une voix à l'accent asiatique. Il y a beaucoup de sang, ça a l'air grave. Il y a quelqu'un qui a appelé les pompiers. Je fais quoi de l'appareil ?

— Donnez-le à la police.

Fin de la communication. Il y eut quelques secondes de silence effaré puis Roberto exprima le sentiment général :

— Il va peut-être falloir chercher un autre enquêteur.

7

Le monologue de la pute

La lune était accrochée haut dans le ciel. À intervalles réguliers, un grand duc échappé au filtre mortel des lignes à haute tension poussait sa note, grenouilles et grillons lui répondaient et dans l'étable on s'agitait beaucoup. Mais Giuseppe Viterbo, dit *zio* Vitò, n'entendait rien. Il était endormi, bouche ouverte, tandis qu'à l'écran se déroulait une émission de bavardage. L'animateur, debout, circulait à grandes enjambées entre deux rangées d'invités assis face à face, parmi lesquels Bianchi et Prontino, qui se taisaient, fixant sans ciller le ministre de l'Intérieur en train de parler. Plusieurs mètres carrés d'un écran géant étaient occupés par le front bombé d'un expert antiterroriste qui attendait son tour d'ouvrir la bouche.

Dans son idiome personnel, le ministre de l'Intérieur expliquait que, grâce à la détermination du Premier ministre et de son gouvernement, l'ignoble attentat de Saturnia n'avait pas réussi à empêcher que la réunion du G8 à L'Aquila fût le grand succès qu'elle était. Si la piste de l'attentat d'al-Qaida n'était pas tout à fait abandonnée, ajouta-t-il, certains éléments réunis par les enquêteurs laissaient penser qu'une famille de la 'ndrangheta était derrière ce crime. Quoi qu'il en soit, il pouvait assurer que les coupables seraient traqués sans relâche pour être déférés devant la justice. Ce serait alors aux juges de faire leur travail, s'ils voulaient bien cesser de perdre leur temps à chercher des noises au Premier ministre et à une majorité démocratiquement élue. Interpellé par l'animateur à grandes dents et long menton, Bianchi assura que les bruits sur une démission de la commissaire Tavianello étaient infondés. Tout au plus pouvait-on parler de réorganisation du pool d'enquête pour une meilleure efficacité. En tout cas, la justice s'efforcerait d'être à la fois efficace et transparente, comme elle avait su l'être dans d'autres affaires aussi douloureuses et délicates. Le *zio* Vitò grogna dans son sommeil, mais ce n'était pas à cause des énormités proférées à l'écran. Un bruit de porte claquant violemment avait passé les murs épais et les doubles vitres de sa *casa coloniale,* sa maison de métayer bâtie à l'époque où l'Italie avait un seul chef et où les trains arrivaient à l'heure.

À force de sauter, de mordre et de tirer, le chien fauve avait réussi à rompre le licou de l'âne gris. Des sabots étaient entrés en collision avec la porte. Les deux animaux s'éloignaient, trottant déjà sur la route descendant la colline dont les bâtiments de la ferme occupaient le sommet.

La bouche pâteuse, le ventre encombré de gaz produits par la *pasta e fagioli* dont il s'était gavé, le *zio* Vitò s'extirpa de son canapé en rebouclant sa ceinture. Collant le front à la vitre, il aperçut les deux bêtes et s'en prit grossièrement à la Madone. Le chien fauve et l'âne gris avaient franchi une clôture et maintenant ils galopaient à travers prés, suivant une trajectoire rectiligne qui semblait indiquer qu'ils possédaient ce qui nous manque : une conscience assez claire du but pour trouver la force de se libérer.

Par la fenêtre ouverte, le clair de lune coulait sur les cheveux de Simona, donnant à leur blancheur l'intensité fluorescente de la pierre ponce quand elle se dissout dans la mer, au pied des falaises de l'île Lipari. La nuque redressée par les oreillers, la tête de son époux endormi reposant entre ses seins, la commissaire avait vue sur le paysage montueux de leurs corps emmêlés. Une brise parfumée au lilas et à la friture de poisson glissait sur leurs peaux luisantes de sueur.

Simona ne trouvait pas le sommeil mais elle ne le cherchait pas vraiment. Elle goûtait le silence, le souffle, les rythmes et le calme du corps. Son esprit flottait entre des bribes de souvenir, le mail de Bianchi l'adjurant de ne pas démissionner officiellement ou au moins de ne pas le déclarer publiquement, les images envoyées par Sissa qui montraient un homme entrant chez Rottheimer le dimanche après-midi, et dont la silhouette évoquait le tueur mais rien de décisif, l'appel de la questure de Bologne lui annonçant que Jacopo Sarasso avait été officiellement porté disparu.

Un bruit. Puis un autre.

On marchait sur la terrasse.

La lune à Paris était cachée par un épais couvercle de nuages. Sur le toit de l'hôtel Crowne Plaza, place de la République, la silhouette de Jean Kopa se distinguait à peine de la pente d'ardoises sombres. Entre ses doigts glissait une corde semi-statique équilibre pro de 10,5 mm dont il avait acheté un touret de 100 mètres en fin d'après-midi dans une boutique de sport près de l'Opéra, après avoir rompu la filature dont il faisait l'objet depuis la rue de Belleville. Il était descendu de son taxi en face de chez Rottheimer, au moment où le Samu emportait l'enquêteur, qu'un camion venait de renverser. En approchant, il avait vu une Asiatique ramasser le portable du détective et il le lui avait demandé aussitôt en se présentant comme un cousin de la victime. L'apparition d'un billet de cent euros dans sa main avait beaucoup aidé la dame à lâcher l'appareil. En l'empochant, il avait levé les yeux, et perçu dans la foule le mouvement d'un homme qui se retournait vivement. Un coup d'œil dans une vitrine lui permit d'identifier la silhouette. Robert Levieux, le responsable d'un département de la Défense Dubien dont la plupart des employés, jusqu'au sommet, ignoraient l'existence.

Pour rompre la filature sans avoir l'air de le faire volontairement, Kopa avait dû recourir à un collaborateur occasionnel. Sur ses instructions téléphonées depuis un de ses appareils à piétiner, le jeune Tarek était descendu de sa place des Fêtes pour prendre le métro à la station Pyrénées, où il avait insulté et gazé le conducteur de la rame dans laquelle son donneur d'ordre avait pris place, à deux voitures de distance de Levieux. Dans le mouvement de foule qui avait suivi l'arrêt de la rame et la grève sauvage instantanée des conducteurs de toute la ligne, il n'avait pas eu de mal à se faire perdre de vue. Trois heures plus tard, il n'avait pas été plus difficile, en soudoyant un garçon d'étage qui avait feint de se tromper de chambre, de vérifier ce dont Kopa se doutait : pour les ordinateurs de Défense Dubien, grâce à un mélange de hacking et de corruption, le fichier central de contrôle des opérations de carte de crédit n'avait aucun secret, celle qu'il avait utilisée pour réserver une chambre avait été repérée, et il était attendu dans sa suite de l'hôtel Crowne Plaza.

Voilà pourquoi il s'apprêtait à faire de la descente en rappel. Il vérifia son armement : Uzi et Sig Sauer avec leurs réducteurs de son respectifs, vaporisateur de gaz incapacitant, poignard. Le nœud fixant la boucle à une cheminée était digne d'un ancien commando de marine, le mousqueton était froid sous la main, le harnais bien serré, la corde filait en silence. Avant de se lancer dans le vide, il se dit que, décidément, il adorait ça. Cette vie-là lui manquerait.

Dans la robe de chambre en soie sauvage, le Beretta pesait lourd, déformant la poche. Simona se sentit ridicule en resserrant les pans du vêtement qui bâillait d'un côté, tiré par le poids de l'arme, découvrant un sein.

— Entre, dit Simona au garçon qui se tenait sur le seuil. Va dans la cuisine, ajouta-t-elle en lui montrant la direction. Je reviens.

Dans la chambre où Marco ronflait toujours doucement, elle passa un survêtement, revint s'asseoir en face de lui.

— Ton père ne sait pas que tu es là, j'imagine ?

Le garçon secoua la tête.

— Tu es bien Ricardo Gardonni, le fils de Rita, qui a été tuée à Saturnia ?

Hochement de tête. Elle l'avait reconnu presque

instantanément. Dans les premiers rapports sur lesquels elle avait travaillé avant de présenter sa démission, il y avait des fiches sur chaque victime et sur leurs proches. Au cas où le choix de les tuer n'aurait pas été le fruit du hasard.

— Tu veux boire un jus de fruits ? Un... un thé ?

Le garçon secoua la tête.

— Pourquoi es-tu venu me voir ?

— Il ne faut pas démissionner, madame.

Au volant de son 4 x 4, le *zio* Vitò sourit en voyant les deux animaux sauter l'un après l'autre un unique barbelé et s'enfoncer dans un bois de chênes verts. Les zigzags de la route l'avaient empêché de les suivre constamment du regard, mais il avait bien deviné où ils allaient. L'âne et le chien regagnaient le Palais d'Été.

C'était ainsi qu'Aldo Maronne avait baptisé l'ancien pavillon de chasse à demi ruiné, où il s'installait au plus chaud de la saison chaude, quand il était las d'errer, ses bêtes dans son sillage. Le *zio* Vitò gara son véhicule à l'entrée d'un chemin bordé de feuillus luisants sous la lune. Le vieil homme prit dans la boîte à gants une grosse lampe torche carrée mais s'abstint de l'allumer. L'éclairage céleste lui convenait davantage pour marcher. Au bout de cent pas, il enjamba en soufflant un fil de fer, coupa dans de la bruyère, fut sur le seuil du bâtiment au toit troué, aux ouvertures encadrées de granit. Au cœur de l'obscurité, il perçut la présence des bêtes, alluma la lampe. Des yeux aux longs cils clignèrent dans le halo, une massive et placide tête oblongue apparut : l'âne avait collé son garrot contre une des extrémités du hamac suspendu dans un coin de la pièce, et son museau appuyait de l'autre côté du tissu, comme s'il avait voulu serrer contre lui ce bout de toile qui avait contenu la tête d'Aldo. Ou ses pieds. Sous l'autre extrémité du hamac, le chien était couché sur le carrelage disjoint et poussiéreux.

Zio Vitò approcha des bêtes, caressa l'âne au-dessus des naseaux, se pencha pour gratter le crâne du chien et aperçut une table de nuit décrépite que le bourricot avait dû renverser. Le tiroir avait glissé, une tache blanche attira le regard du vieux.

Une enveloppe.

Le *zio* Vitò tâta ses poches, dénicha une des nombreuses paires de lunettes qu'il semait un peu partout dans son espace et ses vêtements, seul moyen de ne pas les chercher sans cesse. Un trombone tenait serré contre l'enveloppe un carré de papier jaune, sur lequel il déchiffra :

Vieux Vitò, si tu trouves ce papier, ça veut dire que je ne serai plus là pour le poster. Est-ce que tu peux le faire pour moi ? Merci pour tous les services rendus.
Aldo Maronne.
P.-S. : en fait, je savais conduire.

L'enveloppe était timbrée et adressée à Simona Tavianello à son domicile de Rome.

Une heure plus tard, la destinataire de la lettre se garait *via* Ottaviano, devant l'immeuble de style sumérien tardif où habitaient les Gardonni. Elle se tourna vers le garçon en train de dénouer sa ceinture de sécurité :

— Alors, c'est entendu, je te promets de réfléchir

avant de confirmer ma démission, mais toi, tu me promets que tu ne sortiras plus seul la nuit ?

— Promis.

— Tu es sûr que tu ne veux pas que je vienne parler à ton père ?

— Non, ça ira. Il a pris des cachets, je ne crois pas qu'il se soit aperçu que je suis sorti.

L'enfant posa la main sur la poignée pour ouvrir la portière mais elle lui toucha l'épaule.

— Attends. Je peux te demander quelque chose ?

— Oui.

— Tu sais sourire ? Je te demande ça parce que tu es très impressionnant, tu sais, pour un garçon de ton âge. Tu es tellement silencieux et sérieux... Tu vois, c'est important de sourire, je sais bien que tu n'as pas beaucoup de raisons de le faire en ce moment mais parfois, un demi-sourire, même triste, juste une seconde, ça met l'interlocuteur à l'aise, et ça t'aide à communiquer avec lui. Tu comprends ce que je veux dire ?

— Oui. Mais je ne le fais pas exprès...

La main toujours sur la poignée, il baissa la tête, la releva vivement et planta dans les yeux de Simona ses yeux noirs comme des étoiles mortes :

— Je pense que je sourirai quand ma sœur sera réveillée, et que ma mère sera vengée.

— Oh, tu sais, la vengeance, commença Simona en se demandant ce qu'elle allait bien pouvoir raconter ensuite : que la vengeance, c'est pas bien ? Que c'est une notion barbare ? mais Ricardo coupa court :

— Pour moi, la vengeance, c'est la même chose que la vérité et la justice.

Et il sortit de la voiture.

Jean Kopa se pencha sur le corps de Robert Levieux, chef des opérations spéciales de la Défense Dubien, en train de s'étouffer dans son propre sang. L'opération s'était déroulée encore mieux que prévu. Il avait réussi à entrer sans bruit par le balcon au moment où Levieux regardait la télé son coupé tandis qu'un de ses hommes somnolait dans un fauteuil, le doigt sur l'oreillette qui le reliait sans doute aux guetteurs postés dans la rue ou dans le hall, tandis que le troisième sicaire faisait caca.

Les balles du Sig Sauer et celles de l'Uzi avaient atteint les deux premières cibles quasiment en même temps et la troisième cinq secondes après.

De ses mains gantées, il fouilla la victime, récupéra le Taurus 444 Raging Bull que Levieux n'avait pas eu le temps de tirer du holster. Kopa fronça le sourcil en constatant que l'homme de Dubien n'avait pas prévu d'utiliser de réducteur de son. Comme si ça ne le dérangeait pas de mener une opération bruyante. De la poche de poitrine, Kopa tira un portefeuille et un étui de cuir. Il ouvrit d'abord ce dernier et dit merde en découvrant la réponse à son interrogation. Une carte tricolore. Robert Levieux était commissaire de police à la sous-direction des affaires internationales de la Direction centrale du renseignement intérieur. Flic depuis vingt ans, à en croire sa carte d'adhérent à un syndicat majoritaire de la police nationale. Kopa ignorait la situation de Levieux mais il aurait pu s'en douter, car il savait depuis longtemps que beaucoup d'employés de Dubien touchaient double salaire.

L'agonisant eut un sursaut. Kopa lui balança un

coup de pied dans le ventre. Entre ses dents serrées, les sons sortirent en sifflant :

— T'es pas encore mort, crevure ? Alors, comme ça, t'étais flic et tu me le cachais ? On était potes, pourtant, non ? On a baisé des paquets de putes ensemble, non ? Chez Natacha, tu te souviens ?

Chaque question était ponctuée d'un coup de pied mais l'autre à terre ne réagissait pas. Une espèce de gargouillis monta de sa bouche tandis qu'un flot de sang se répandait sur son menton et son cou. Les lèvres de l'homme qui avait une balle dans l'estomac bougèrent. Kopa se pencha.

— Des dernières volontés à exprimer ? ricana-t-il. Un bon mot pour finir ?

L'homme articula quelque chose. Kopa crut distinguer « va crever ».

— Toi d'abord, dit-il en appuyant le bout de sa chaussure sur la glotte de Levieux.

Quand le mourant fut mort, il essuya le bout de sa chaussure avec un Kleenex. Dans l'oreillette qu'il avait prise à l'autre type, une voix appela : « De poulet 1 à poulet 3, rien de neuf ? À toi. » Kopa se hâta de fouiller les deux autres. Eux aussi étaient flics.

L'homme à l'oreillette était un ancien de la DST en préretaite. Celui qui était effondré dans sa puanteur, culotte baissée, était toujours en activité, lui aussi à la DCRI mais à la sous-direction de la subversion violente.

Kopa tira la chasse et repartit par où il était venu, les toits. Dans l'oreillette, poulet 1 commençait à s'inquiéter de l'absence de réaction de poulet 3.

Quand il eut fini de rouler la corde, Kopa prit le talkie-walkie relié à l'oreillette, et avant de le balancer dans le vide, approcha ses lèvres du micro et dit :

— Cot cot.

Qu'est-ce que ça veut dire ce qu'il m'a dit ce gamin, se demandait Simona Tavianello en s'asseyant devant son ordinateur, dans son bureau du mont des Débris. Est-ce que ça veut dire « Pour moi, il n'y a pas d'autre vengeance que la vérité et la justice » ? Ou bien au contraire, « Pour moi, la seule vérité et la seule justice possible, c'est la vengeance » ?

Sur l'écran, les images envoyées par Sissa défilaient une nouvelle fois. Simona fit un arrêt sur image et un zoom sur le visage flou d'un homme au moment où il passait entre deux policiers qui appliquaient la consigne : ils contrôlaient les entrants, personne ne leur avait parlé des sortants. De toute façon, songea-t-elle, un type comme ça devait avoir un jeu d'identités et de papiers à toute épreuve. Comme tous les gens liés aux services. Est-ce que je délire, est-ce que je vois la main des services partout, désormais ? Ils sont quand même intervenus dans bien des enquêtes que j'ai eu à mener ces dernières années, et malgré toutes les réformes, ils n'ont jamais cessé de jouer leur propre jeu tordu.

Machinalement, elle cliqua sur sa boîte personnelle. Un mail de Rottheimer qu'elle parcourut rapidement. Cela datait déjà. Et un autre émanant d'un site d'amateurs de polars qui l'avaient autrefois interviewée. Prête à l'expédier à la poubelle, elle jeta un coup d'œil distrait au contenu, et changea d'expression. Le message émanait d'un de ses vieux amis au laboratoire de la police scientifique.

De : blackmailmag@tiscali.it
À : tavianello@libero.it

Ciao Simona, tu l'ignorais sans doute mais je suis aussi administrateur de ce blog, je préfère passer par lui pour te prévenir que j'ai tes résultats. Des types de l'Aisi[1] sont passés pour les réclamer mais j'ai exigé qu'ils me présentent une injonction d'un juge. Mon chef m'a couvert mais il est possible qu'ils reviennent à la charge avec les papiers qu'il faut. Donc, pour résumer : il y avait bien des traces récentes sur tes animaux, alors que les collègues n'en ont pas trouvé sur la scène du crime, à part celles d'Aldo et de son voisin. La grande nouvelle, (avec une probabilité d'erreur de 1 %), c'est que ces cheveux et ce sang d'un individu mâle d'une cinquantaine d'années ont le même ADN que le cheveu trouvé dans la voiture abandonnée qui aurait servi au tueur de Saturnia. Inutile de te dire que je te transmets l'information de manière tout à fait officieuse et que tu ne peux pas en faire état tant que tu n'auras pas reçu de rapport officiel. Mais d'après ce que les types de l'Aisi disaient, j'ai eu l'impression qu'ils cherchaient à te mettre à l'écart. Vois ce que tu peux faire pour ne pas te faire avoir par ces saligauds. Je t'embrasse, n'oublie pas d'effacer mon message. Je t'embrasse.
Ivo

Simona sourit en voyant le « je t'embrasse » répété. Vingt ans plus tôt, Ivo et elle avaient été amants et il lui disait souvent qu'il ne s'était jamais remis qu'à un seigneur vénitien comme lui, elle eût préféré une gouape napolitaine comme Marco.

S'il y avait complot, pensa Simona, c'était pour la pousser à reprendre sa démission. Bon, d'accord, elle allait tenter de mener cette affaire jusqu'au bout.

Il était une heure, mais elle pensait que Bianchi, s'il n'avait pas éteint son portable, serait heureux

---

1. Agence pour l'information et la sécurité intérieure, un des deux services supervisés par Febbraro.

d'apprendre la nouvelle. Et sinon, elle laisserait un message.

Elle laissa un message et retourna se coucher. Marco dormait toujours, ou faisait semblant. Où était passé l'ami Jacopo Sarasso, qu'Aldo s'apprêtait apparemment à aller retrouver à Bologne ?

Est-il encore vivant ? se demanda-t-elle avec une sensation d'oppression dans la poitrine. Pourquoi son portable s'était-il retrouvé à deux pas de l'endroit où elle donnait à manger aux chats ? Se pouvait-il qu'il fût venu jusque-là pour la voir et qu'un tueur — peut-être le même que celui qui avait assassiné Aldo — l'eût intercepté ? Mais on n'avait pas trouvé d'autres traces de lui. Peut-être faudrait-il faire sonder le Tibre ? Ces questions l'empêchèrent de trouver le sommeil bien après que le jour eut pointé.

Quand on frappa à l'entrée, il lui sembla qu'elle dormait depuis trente secondes. Elle ouvrit les yeux, la lumière entrait à flots dans la pièce. Elle décida d'ignorer les coups à la porte.

On sonna. Elle se retourna du côté de Marco pour lui demander d'y aller, mais il dormait toujours, avec une sereine détermination.

Elle se leva, remit la robe de chambre.

Sur la terrasse, un homme en costume bleu de bureaucrate basique lui tendit une enveloppe.

— Bonjour, madame, je suis désolé de vous réveiller mais j'ai un rendez-vous à la superintendance des biens culturels à 9 h 30. Mon oncle, M. Viterbo, m'a demandé de vous transmettre ceci, il savait que je devais venir à Rome et il a pensé que ce serait plus rapide. Il m'a dit de vous dire qu'il avait joint un mot pour vous expliquer comment il avait retrouvé cette lettre qui vous était destinée.

Serrée contre la lettre par un trombone, il y avait en effet une carte postale de l'Agritourisme Vittorio Viterbo, cinq chambres, huile extra-vierge DOC, produits du terroir, piscine, au cœur de la Toscane. Et un mot au dos qu'elle lut rapidement.

En comprenant de qui était la lettre, Simona se figea en émettant un drôle de son puis, lentement, elle releva la tête pour tenter à l'intention du courrier un de ces demi-sourires qu'elle avait conseillés à Ricardo :

— Merci, merci, balbutia-t-elle. C'est bien aimable de vous être donné ce mal… Je… vous boirez bien un café ?

L'homme déclina, il était déjà en retard. En le regardant s'éloigner, Simona pensa qu'Aldo, même au temps où ils étaient amants — c'était avant Ivo —, ne lui avait jamais écrit une lettre. C'était bien de lui, de commencer à écrire après sa mort.

BAL : seules trois lettres brillaient sur la totalité de l'enseigne. Dans la nuit, elles évoquaient les flonflons, et Joinville-le-Pont chez qui nous irons ron ron. Mais si la Marne coulait tout près, chez Gégène c'était sur l'autre rive. Sur celle-ci, les véhicules qui se garaient sous la pergola d'un parking chic étaient généralement conduits par des CSP ++, des hommes cossus souvent pansus accompagnés de dames souvent plus grandes qu'eux, et certaines d'ailleurs en avaient des plus grandes qu'eux puisque les travestis ne manquaient pas parmi elles.

Après 2 heures du matin, les clients n'avaient cessé

d'affluer puis vers 6 heures, de refluer, dans un silence chuchotant à l'aller, avec des rires, claquements de portières, voix éprouvées au retour et maintenant le DAQUIN était aussi visible que le BAL, le jour tout à fait là luisait sur la Marne.

Les longs doigts fins de Jean Kopa tournèrent et retournèrent le tube de Ritaline avant de le laisser retomber au milieu des autres contenants jetés en vrac dans une poche extérieure du sac qui reposait à la place du mort. Les doigts remontèrent vers le volant, pianotèrent en suivant sa courbure, redescendirent en vol plané vers une carte de visite posée sur le tableau de bord. Il faisait grand jour, à présent, et il n'avait pas besoin d'allumer la lampe plafonnière pour lire : « Le Baldaquin. Bar. Night-Club. Rencontres libertines pour couples et solitaires. » Et puis, il l'avait lu et relu plusieurs fois depuis qu'il l'avait tiré du portefeuille de Levieux. Et ses yeux commençaient à fatiguer. Et ses lombaires à être douloureuses.

Celles de la jeune femme aussi, semblait-il. Elle venait de surgir au coin du long bâtiment bas abritant la boîte de nuit et au moment de mettre la clé dans la serrure d'un 4 x 4 haut de gamme, elle se cambrait, une main sur les reins. Dans le mouvement, sa chevelure miel d'acacia coula jusqu'à mi-corps, caressant le tissu gris et coûteux tendu par un fessier plein d'esprit. En la voyant, Kopa poussa une exclamation. Il ouvrit doucement la portière et, sans la refermer complètement, s'élança en silence.

— Bonjour Natacha, dit-il dans son dos. Tu n'es plus à ton compte, maintenant ?

La femme poussa un cri de surprise, se retourna.

— Tiens un revenant ! Tu m'as foutu la trouille.

Elle le toisa, croisa les bras, s'adossa à la voiture. Kopa fit de même et ce barrage de deux paires de bras séparant des poitrines semblait créer entre eux une espèce de bulle à l'intérieur de laquelle on parlait doucement.

— Tu travailles là-dedans ? s'enquit-il avec un mouvement de tête vers la boîte de nuit.

— Toujours la même histoire. Les gros absorbent les petits. Mais il y a des avantages, on a la sécurité de l'emploi et des super protections.

— Mon copain Levieux ?

Elle haussa les épaules.

— Bah non, beaucoup mieux que ça. Ton copain Levieux, il n'est plus que le garde du corps des gens qui nous protègent.

— Ah, fit Kopa, avec l'air de penser à autre chose. Dis-moi, demanda-t-il en la dévisageant, tu t'es fait retoucher ?

Elle tâta son nez très mince, ses lèvres gonflées.

— Un peu. T'aimes pas ? Tu trouves que c'était mieux avant ?

À son tour de hausser les épaules :

— C'est comme le reste. Je sais pas si c'était mieux avant, mais je suis sûr que c'est pire maintenant.

Elle eut un demi-sourire triste :

— Merci pour le compliment. Tu m'offres un café ?

— Allons-y.

Chère Simona,

J'ai essayé tout l'après-midi de te joindre mais tu ne répondais pas sur ton portable personnel, et je n'ai pas le numéro du portable professionnel, vu que tu en as changé depuis que je suis parti à la retraite et que tu as été appelée à de hautes fonctions. Et à ton bureau, on m'a dit que tu étais à un congrès à Naples. J'espère que tu vas bien et que, avec sa cuisine graisseuse quoique succulente, ce saligaud de Marco n'a pas encore réalisé son rêve de te faire assez grossir pour diminuer ton sex-appeal (tentative vouée à l'échec, de toute manière).

Comme je t'ai dit sur ta boîte vocale, j'ai fait une sieste intéressante. Tu sais que, contrairement à ce qu'on racontait, le fait que je résolve des affaires en dormant n'a rien de magique. Divers éléments d'information s'agrègent tout à coup dans mon cerveau, qui me les restitue ensemble de manière à ce que je saisisse le sens de cette agrégation. Dans ce dernier cas, il s'agit d'éléments anciens et d'autres beaucoup plus récents. Je te les livre et t'explique ma conclusion.

Tu te souviens sans doute qu'en 2003 je me suis porté volontaire pour une mission en Irak. Il s'agissait de participer à la formation de policiers irakiens. Inutile de ricaner sur mes illusions, je me suis assez moqué de moi-même ensuite, je n'ai pas besoin de toi. Ce que je n'ai jamais raconté, parce que j'avais reçu la consigne de garder le secret, c'est que je me trouvais à Falloujah en février 2004, quand la situation a commencé à se dégrader très sérieusement, après le lynchage de quatre membres de la société de sécurité américaine Blackwater. On ne sortait plus de l'école primaire qui abritait l'équipe de formateurs venus de divers pays alliés. Il y avait en particulier deux Polonais qui ne buvaient jamais, l'un d'eux en plus d'être policier était aussi prêtre, il était chargé des cours de déontologie. Dans son pays, il était aumônier de la police mais son état ecclésiastique était tenu secret, pour ne pas compliquer les relations avec les Irakiens, tous chiites dans le coin.

Le 23 février, il y a eu une offensive des insurgés

contre la police, qui préludait a la fameuse bataille de Falloujah. Deux hélicoptères sont venus nous chercher. J'étais dans le dortoir en train de faire ma sieste. Tu sais que, pour moi, la sieste c'est sacré. Le plus drôle, c'est que ce jour-là, je n'ai rien rêvé. Quand je me suis réveillé et que je suis descendu dans la cour, il n'y avait plus personne. Les instructeurs avaient été évacués et chacun croyait que j'étais dans l'autre hélicoptère ! Dans la rue, il y avait des hurlements, des grondements de moteurs de camion, des tirs. En cherchant une issue sur l'arrière du bâtiment, je suis tombé nez à nez avec le gardien de l'école qui m'a annoncé qu'une milice islamiste allait s'installer ici et qu'ils allaient sûrement me tuer ou me prendre en otage. J'ai compris qu'il voulait de l'argent pour me cacher et je lui ai donné tout ce que j'avais sur moi.

Il m'a conduit à la cave, a déplacé une armoire métallique et m'a fait entrer dans un court tunnel qui conduisait à un local minuscule éclairé par une lampe à pétrole, où il y avait déjà un autre homme. Puis il a replacé l'armoire en disant qu'il reviendrait dans un jour ou deux, dès qu'il pourrait nous faire sortir. En fait nous ne l'avons jamais revu. Au bout de quelques heures, nous avons entendu les miliciens s'installer dans la cave. Ils l'avaient transformée en dortoir où des types allaient et venaient jour et nuit. Impossible de sortir sans nous faire repérer. Nous n'avions rien à manger et pour boire, seulement l'eau qui gouttait du plafond.

Nous avons discuté de la possibilité de nous livrer, et nous avons convenu que nous préférions mourir dans ce trou que nous livrer aux miliciens. Nous ne voulions pas être longuement humiliés avant d'être égorgés devant une caméra. Après cette discussion, il m'a demandé si j'étais croyant et moi qui ne crois ni à Dieu ni à diable, je ne sais pas pourquoi, je lui ai répondu oui. Il m'a proposé de prier avec lui. Heureusement, les paroles du Notre Père me sont revenues. Après il m'a dit très sérieusement, en me regardant droit dans les yeux, qu'après avoir prié avec moi, il ne pourrait plus me manger.

Ce genre de situation, ça crée des liens : je lui ai un peu raconté ma vie, il m'a raconté la sienne. Il m'a dit qu'il s'appelait Jean. Il était venu dans cette école parce qu'on lui avait dit qu'il y trouverait un prêtre polonais, et il voulait se confesser. Je suppose qu'il était né en Pologne, puisqu'il m'a raconté que, né d'une mère célibataire, il avait été placé très tôt dans un pensionnat religieux polonais. Ça rigolait pas là-dedans : à la moindre peccadille, les gamins étaient obligés de prier toute la nuit en slip, par des températures glaciales et s'ils s'endormaient, on les réveillait avec un seau d'eau. Apparemment, ça lui avait un peu dérangé le cerveau, mais il était resté très croyant.

À seize ans, Jean s'était enfui du centre d'apprentissage, lui aussi tenu par des religieux, où il avait été envoyé. Sans me livrer de détails, il m'a fait comprendre qu'il avait fait son chemin dans la délinquance, en Pologne d'abord puis en Allemagne et en France où il a travaillé pour des officines de sécurité. Dans ce dernier pays, il a traversé une espèce de crise mystique, il est, m'a-t-il dit, « revenu à la foi de son enfance » et il a décidé de se ranger en s'engageant dans l'armée française. Je suppose que, avec l'aide de ses employeurs, il avait réussi à acquérir la nationalité française. Mais tout cela est assez confus.

Bref, au bout de dix jours, nous commencions à être très faibles et à délirer pas mal, et quand nous avons été sûrs que nous n'en avions plus pour très longtemps, alors que jusque-là, il s'était présenté comme un conseiller technique de Blackwater, il m'a avoué son vrai métier. C'était un tueur à gages, un des meilleurs sur le marché m'a-t-il précisé avec orgueil. Et il avait été engagé pour tuer le chef de la milice qu'on tenait pour responsable de la mort des quatre contractants de Blackwater. Je lui ai demandé si c'était précisément Blackwater qui l'avait embauché mais Jean m'a répondu qu'il était toujours embauché par une société écran, et qu'il ignorait toujours qui étaient ses vrais commanditaires. Il paraît que c'est le b.a.-ba chez les tueurs de haut niveau. Ce qu'il était, disait-il, puisqu'il avait déjà conduit une demi-douzaine de missions. Et tu sais, au point où nous en étions et dans l'état où nous étions, je ne crois pas qu'il me racontait des craques. Je n'ai jamais entendu parler de cas de mythomanie face à la mort.

Le onzième jour, il y a eu des bruits de fusillade et de bombardement pendant une partie de la matinée, puis un grand silence. Il n'y avait plus personne dans le dortoir. Finalement, Jean a décidé de tenter une sortie tant qu'il lui restait assez de force pour ça. Au moment où il poussait l'armoire, il s'est trouvé nez à nez avec un marine qui a tiré. Jean a été blessé au bras. J'ai crié en anglais, le marine m'a répondu de sortir, j'ai montré mes papiers, on a évacué Jean vers l'antenne médicale. On m'a transféré à Bagdad et puis les Américains ont fini par lancer leur offensive pour nettoyer Falloujah à coups de bombes au phosphore et de munitions à uranium appauvri. Le chef de la milice dont m'avait parlé Jean avait réussi à s'enfuir et il s'était replié sur Bagdad. Mais la veille de mon retour en Italie, il a été abattu par un tireur d'élite, à l'intérieur d'un périmètre pourtant ultrasécurisé.

J'avais été débriefé par des gens des services dès mon retour à Bagdad et on m'avait conseillé d'oublier tout ce que j'avais vécu à Falloujah, et en particulier les confessions hallucinantes de ce Jean. C'est ce que je me suis efforcé de faire et c'était d'autant plus facile que je n'ai plus entendu parler de lui.

Jusqu'à il y a une dizaine de jours. Tu sais que j'ai gardé des bons contacts avec certains de mes informateurs. Avant-hier, j'ai reçu la visite de mon ami napolitain Michele Ridente, un type multicartes, un peu journaliste, beaucoup affairiste, en contact avec la mafia chinoise de sa ville. En route pour Florence où il allait ouvrir un restaurant, il avait fait un crochet par chez moi. Il m'a raconté qu'un type qui lui avait été adressé par des Chinois de Paris était venu lui demander des contacts pour organiser son exfiltration d'Europe. Il comptait disparaître bientôt, du jour au lendemain, en utilisant une fausse identité. Le type pensait, à juste titre en fait, que Michele pouvait lui trouver une filière d'émigration clandestine qu'il pourrait remonter dans l'autre sens. Il voulait prendre sa retraite aux confins des frontières chinoise et birmane, dans une zone où on ne peut accéder que clandestinement, dont on lui avait parlé dans la Légion. Je me suis renseigné, c'est une région de montagnes boisées, avec des petits villages, un climat tempéré, dont le calme est protégé par des milices qui vivent du passage de la drogue, des armes et des immigrés.

Le type a dit à Michele qu'il voulait emmener aussi sa sœur, qu'elle était lourdement handicapée, qu'elle ne pouvait se déplacer seule et qu'il fallait prévoir tous les moyens de transport adaptés. Kopa ne m'a jamais parlé d'une sœur mais la description physique du type, ses manies religieuses correspondent parfaitement. Il a besoin de se confesser avant chacune de ses actions. Et ce type qui a contacté Michele lui a demandé s'il connaissait un prêtre auquel il pourrait s'adresser d'ici huit jours, avant son exfiltration. Je pense que Jean est de retour, et qu'il s'apprête à mener une opération en territoire italien, peut-être la dernière de sa carrière.

Je vais te poster cette lettre demain matin, avant d'aller voir Jacopo Sarasso à Bologne. Je lui ai touché deux mots de cette histoire, et de mon rêve, et il a eu l'air très intéressé. Appelle-moi dès que tu peux, on te tiendra au courant de la suite.

Je suis bien content d'avoir un prétexte pour te revoir, belle Simona.

ALDO

Il y avait un P.-S., griffonné au crayon :

J'ai rouvert ma lettre quelques heures après l'avoir rédigée pour te rajouter ce mot. Ou je suis gaga, ou il y a des types qui m'observent à la jumelle depuis la colline d'en face. Cette surveillance serait-elle la conséquence de mon coup de fil à Jacopo ? À moins qu'une des crapules que j'ai fait mettre en taule se soit mise en tête de se venger. Tu vois, moi aussi je peux devenir parano. Mais je vais mettre cette lettre en lieu sûr au cas où. Si tout se passe bien, je la récupérerai demain en partant pour la gare. Sinon, quand tu l'auras, tu sauras quoi faire, les méchants seront punis et les bons récompensés.

Le temps était couvert, la Marne anthracite, le café infect. Derrière sa caisse, sous un grand rectangle de carton proclamant qu'ici quelqu'un avait gagné 2 600 euros, la patronne jeune et jolie posait sur le monde un regard hébété.

Seuls au fond de la salle, Jean Kopa et Natacha touillaient leur boisson sans se décider à l'ingurgiter tout à fait. La femme finit par rompre le silence :

— Tu travailles toujours sur les plates-formes pétrolières ?

— Oui. Souvent à l'étranger.

Silence, à nouveau. Natacha leva les bras, saisit à deux mains sa crinière sur la nuque, laissa glisser ses doigts le long de la coulée d'or filé, fit glisser un élastique, serra plusieurs tours avec dextérité, se fabriquant une espèce de tour de cheveux. Dans le mouvement, le cou, le visage, le torse s'étaient tendus, un élan presque immobile que le souffle seul animait. Jean contemplait.

Elle reposa les coudes sur la table, baissa les yeux, les releva :

— Bon, qu'est-ce que tu voulais de moi ?

Il la regarda dans les yeux.

— Rien. Juste te voir.

Elle eut l'air étonné.

— Juste me voir ?

Ils restèrent quelques secondes en silence puis elle dit, soudain mal à l'aise :

— Bon, tu m'as vue. Il va falloir que je rentre. Je suis crevée.

Jean posa sa main sur la main de Natacha.

— Attends une seconde. On peut bavarder encore un peu, non ? Ça t'étonne que j'aie envie de te revoir ? On était copains, non ?

— Oui, enfin, je sais pas… de quoi tu veux causer ? On s'est pas vus depuis deux ans et maintenant…

— Bah, j'en sais rien moi.

Jean Kopa passa sa main dans ses cheveux blond-roux, le front plissé comme s'il cherchait quelque chose à dire puis il posa la question :

— Alors, tu as de nouveaux protecteurs ?

Et Natacha, heureuse d'avoir quelque chose à dire pour dissiper ce moment de gêne, se hâta de raconter tout ce que Kopa voulait savoir, tout ce pour quoi il s'était forcé à jouer cette répugnante comédie de micheton énamouré. Plus tard, Kopa se contraignit même à lui donner un bécot sur la bouche et il attendit qu'elle ait démarré pour s'essuyer les lèvres.

Plus tard encore, dans un hôtel Ibis proche de l'aéroport d'Orly, après qu'il se fut procuré en pharmacie une boîte de polyéthylène glycol, quand il fut assis sur la cuvette, son intestin se vidant à longues giclées bruyantes, il repassa dans sa tête une première fois les informations glanées. Puis il avala un autre litre de purge et, pendant que son ventre se vidait dans un bruit de cascade, il se contraignit, de peur de laisser échapper un détail, à se repasser mot à mot le monologue de la pute.

— Bien sûr, je ne veux pas jeter l'opprobre sur une honnête profession, il y a des boîtes échangistes qui sont des établissements respectables, comme il y a des hammams où on s'encule pas et des salons de massage où on te masse. Mais il y a aussi des endroits, comme le Baldaquin, qui sont juste un genre de bordels modernes. Je le sais, c'est moi la maîtresse maquerelle. Ça se présente comme un lieu de libertinage, c'est le mot à la mode, bien sûr, on a des bénévoles, en quelque sorte, et qui paient en plus, il y a des couples bourgeois qui viennent, le lundi, jour des commerçants, en particulier, mais ils ne se rendent pas compte qu'il y a des couples d'acteurs pornos payés pour lancer les partouzes parce que sinon, souvent, si on doit attendre que Mme Dupont retire sa culotte, ça risque de prendre des plombes et puis il vaut mieux que ceux qui démarrent aient des corps qui cassent pas l'ambiance. Au Baldaquin, en plus, pour certains hôtes de marque, il y a des filles qu'on peut avoir en salon particulier. Moi, je gère la boîte avec Nathalie, tu sais, ma copine du temps de « Chez

Natacha ». On a dû abandonner le jour où ton copain Levieux m'a montré sa carte de flic et m'a annoncé que s'il appelait ses collègues des stups, on trouverait des sachets de coke sous des coussins dans la salle des miroirs et derrière les croix de Saint-André dans la salle sado-maso. Il m'a expliqué que j'avais tout intérêt à travailler pour vous. Tu dois être au courant, j'imagine, notre Baldaquin est très utile pour filmer de temps en temps des politiques ou pour soutirer des secrets industriels. C'est un dispositif inventé par les Italiens, paraît-il[1]. En tout cas, je travaille maintenant en quelque sorte pour l'État, tu vois. Mais il y a synergie entre le public et le privé, puisque, quand des grands patrons reçoivent des partenaires étrangers pour des négociations délicates, ce sont des boîtes privées comme Défense Dubien qui ont mené l'enquête pour savoir à quel type d'attention les invités pourraient être sensibles et il arrive souvent — pas toujours, mais souvent — qu'ils soient contents qu'on leur présente des jeunes femmes belles et cultivées, des collaboratrices de l'entreprise bien sûr ou des consultantes indépendantes, en tout cas sûrement pas des putes, et elles ont vite fait de suggérer aux invités de finir la soirée au Baldaquin, un endroit un peu particulier où on s'amuse beaucoup… Un endroit bien aménagé pour écouter, filmer. Il n'arrive presque jamais que ces enregistrements soient utilisés comme moyens de chantage, non, les entreprises qui font appel à nos services n'ont pas cette conception brutale des affaires, mais quand même, dans ces

1. Voir Giancarlo De Cataldo, *Romanzo Criminale,* Éditions Métailié.

enregistrements, il y a beaucoup de renseignements intéressants, utiles à la Défense Dubien... Ou à ses clients. Tu ne peux pas imaginer le fric que je me fais ; avec ce système, j'ai décuplé mes revenus. Bon, de temps en temps, je dois mettre la main à la pâte, si je puis m'exprimer ainsi. Par exemple, votre patron, Dubien, il adore venir discuter ses affaires vautré sur moi, avec ma copine Nathalie rendant le même service à son partenaire en affaires. De temps en temps, il y en a un qui dit : « on change » et ils échangent leur pute. C'est un truc qui les fait bander dur, les managers. Sans doute une manière détournée de baiser entre hommes. Ils font exprès de se parler comme si on n'était pas là, ça les excite mais du coup ils oublient un truc, c'est qu'on n'a pas que trois orifices, on a aussi des oreilles. Tiens, cette nuit, si je n'avais pas eu la tête à autre chose — j'étais inquiète parce que ces cons de profs du lycée Balzac veulent pas de mon aîné sous prétexte que leurs classes sont pleines mais je connais un acteur qui connaît bien la femme du président, ça va s'arranger — oui, je disais si je n'avais pas eu la tête à autre chose, je suis sûre que j'aurais pu surprendre des secrets d'État. Dubien est venu avec un mec... normal que tu les aies pas vus, ils sont passés par la porte de derrière, Dubien a une entrée réservée... Un mec qu'il avait amené il y a quinze jours... Ils parlaient d'une grosse opération, un gros truc qui a eu lieu en Italie, bon c'était à mots couverts mais fallait pas être docteur en sémiologie — au fait tu sais que j'ai failli passer un doctorat de sociologie, figure-toi que j'ai rencontré un professeur à la fac, un type très influent, un copain du président qui a déjà fait avoir un doctorat à une voyante alors je lui ai dit... bon, je te raconterai une autre fois, je disais il fallait pas être très maligne pour comprendre que c'était un truc bien sanglant mais surveillé de près par les services secrets, son opération en Italie. Et le type avec qui il causait, il était pas plus discret... ce gros porc, quelle horreur, au moins Dubien, il est bien conservé, on voit que c'est un type qui a toujours fait du sport, alors que l'autre, gros, flasque, un Russe, je crois, il parlait anglais, français, italien, espagnol aussi, je crois, il faisait étalage de son don pour les langues, dans tous les sens du terme, je sais pas si tu vois, beurk... Avec ce mec, Dubien causait sans arrêt d'une fondation pour laquelle il devait faire un boulot, ça les faisait beaucoup rire tous les deux, parce qu'apparemment l'autre, le gros porc, il avait déjà engagé Dubien pour le même taf, et donc il allait toucher double paie... la fondation, attends, je crois qu'il y avait un mot dans le nom de la fondation, je ne me souviens plus, un mot savant... Téléologie. C'est ça, oui, c'est bien ça, téléologie. Ça veut dire quoi, déjà ?

Simona coupa. Le téléphone de Bianchi était toujours sur répondeur. Bon, elle était prête, le mieux était d'aller directement *via* Giulia et de se pointer au bureau de Bianchi. Il serait sûrement content de sa décision. Elle alla poser un baiser sur le front de Marco. Son petit mari était en train de chercher les accords de *Un sole tascabile* et leva à peine le nez de sa guitare.

— Alors, tu es revenue sur ta décision, c'est sûr ?

— Tu es déçu ?

— Je ne sais pas. On en parlera ce soir. J'ai rendez-vous avec un arrangeur, il faut que je finisse...

— À ce soir.

En ouvrant la porte, elle sursauta. Sur le seuil se tenait le lieutenant Licata.

— Ah ben ça, lieutenant, quelle surprise ! Qu'est-ce qui se passe ? demanda-t-elle en voyant la pâleur du carabinier, sa moue tombante et les perles de sueur sur son front.

— Commissaire, je suis très ennuyé, dit Licata en déplaçant son poids d'un pied sur l'autre et en remontant d'un doigt ses lunettes sur son nez. J'obéis aux ordres même quand je ne suis pas d'accord, je suis un militaire... Je... j'ai reçu l'ordre de vous interpeller et de vous conduire devant le procureur national antimafia, le juge Prontino.

Puis, en changeant brusquement de ton et en la regardant soudain bien en face comme s'il guettait sa réaction, il ajouta très vite :

— Claudio Palomara, le chef du clan de la 'ndrangheta a demandé à bénéficier du programme des collaborateurs de justice, annonça-t-il.

— Et en quoi ça me regarderait ? demanda Simona mais elle était sûre de ce qui allait venir, elle se dit qu'elle avait été vraiment trop passive, que la visite des gens de l'Aisi au laboratoire de la Scientifique aurait dû l'alerter, que Febbraro n'était pas surnommé pour rien le Crotale, qu'elle aurait dû prévoir le coup.

— Palomara dit que vous êtes en contact avec son clan depuis des années. Parce que c'est bien les Palomara qui sont à l'origine de l'attentat. Ils ont fait appel à un spécialiste français, mais c'est eux qui sont derrière. Ils voulaient mettre de l'argent dans les thermes mais le conseil d'administration avait refusé. Et vous le saviez, d'après Palomara. Et toujours d'après lui, vous vous étiez engagée à ensabler l'enquête de Saturnia. Je suis désolé, mais il faut me suivre.

Simona pensa qu'elle devait réfléchir au moyen de renverser la situation, trouver une contre-attaque à la hauteur du danger. Qu'elle devait résister à la passivité angoissée, qu'elle devait bouger.

Elle pensa ça.

Dans son dos, Marco, qui n'avait pas entendu, chantait *Un sole tascabile*.

En revenant des toilettes, nu comme un ver très blanc, Jean Kopa se sentait le corps et l'esprit enfin vidés. Il s'étendit sur le lit en soupirant et saisit la télécommande, car dans l'état où il était, il savait qu'il n'aurait pas besoin de barbiturique pour s'endormir, juste d'un peu de télé.

Mais quand l'écran s'alluma, il sursauta et il sut qu'il n'était pas près de dormir. Une photo de lui, assez ancienne, mais où il était parfaitement reconnaissable, occupait l'écran, tandis que le commentateur commentait : « Cet homme, Jean Kopa, serait le tueur de Saturnia. C'est la 'ndrangheta, la redoutable mafia calabraise qui, selon les enquêteurs italiens, serait derrière ce mystérieux attentat. Kopa n'a pas hésité à abattre de sang-froid trois policiers de la Direction centrale du renseignement intérieur venus l'arrêter dans un hôtel place de la République à Paris, où sa présence avait été signalée. Le président de la République a exigé une enquête sur les conditions dans lesquelles, selon ses mots, des serviteurs de l'État ont été abattus comme des chiens... »

Le tueur de Saturnia éteignit, s'assit au bord du lit,

tira à lui son sac, sortit un portable, composa un numéro. Au bout de trois sonneries, la voix :

— Allô ?

— Dubien, dit-il en serrant l'appareil comme si c'était la gorge de son interlocuteur, à quoi tu joues ? Tu me balances ? Eh bien, je vais te balancer, compte sur moi.

Ricanement.

— Tu balanceras rien du tout, pauvre naze. Qui va croire tes délires ? T'as l'antiterrorisme au cul, connard. Tu seras plus en sécurité nulle part, ta photo est partout. Tu ferais mieux de te rendre. Et attention, quand tu te rendras, pas de geste brusque, hein ? Une balle blindée, c'est vite parti ! conclut Dubien en ricanant plus fort.

Fin de la communication.

Au bord du lit, Jean Kopa lâcha le portable qui tomba entre ses pieds sur la moquette de l'hôtel. Il se passa de longues minutes avant qu'il ne se décide à le piétiner.

Dans la chambre de l'hôpital Gemelli, à Rome, Ricardo prit la main de sa sœur, se rapprocha tout près de son oreille et lui murmura qu'ils allaient bientôt connaître la vérité et obtenir justice.

8

La vérité, la vengeance, la justice

Ça ne débordait donc jamais ? Ricardo observait, fasciné, la cassolette de métal posée sur un réchaud et les grosses bouffées odorantes qui roulaient par-dessus le rebord couvert d'un dépôt gris. Ça sentait l'eucalyptus mais de là où était le garçon, impossible de savoir ce qui bouillonnait là-dedans. Tout un pan de mur était occupé par une affiche géante, une espèce de bande dessinée en une vingtaine de tableaux racontant une histoire d'amour et de mort il y a un siècle ou plus. Sur les étagères, les œuvres du Maestro étaient alignées, en italien et en bien d'autres langues du monde, alternant avec de beaux objets qu'on avait envie de caresser.

Ricardo posa son verre de sirop d'orgeat sur la tablette, à côté de l'assiette de friandises, de délicieux *os des morts,* que Rosetta, la maîtresse de maison, venait de lui apporter, accompagnés d'une délicate caresse sur la tête. Les adultes émettaient un épais nuage de phrases.

Domenico s'était présenté, avait expliqué que son métier de technicien à la RAI lui avait permis d'avoir le numéro de téléphone du maître des lieux et il s'excusait de l'intrusion. Giovanna prit le relais, exposant les raisons de leur venue. Le comité Saturnia Vérité et Justice redoutait un ensablement de l'enquête sur l'attentat, maintenant que l'enquêteur qu'ils avaient embauché était à l'hôpital, renversé par un camion, tandis que la commissaire Tavianello était accusée par un repenti de liens avec la 'ndrangheta. Bien sûr, l'enquête avait fait un bond décisif avec l'identification du tueur, ce Jean Kopa que la police traquait à Paris. Mais on ne l'avait pas encore capturé, et personne ne savait s'il n'allait pas disparaître comme d'autres, au Japon ou ailleurs. Surtout, le comité voulait connaître les vrais commanditaires du massacre et il craignait qu'on ne désigne des coupables qui arrangeraient tout le monde, à savoir cette famille calabraise devenue marginale dans sa propre mafia. Le comité souhaiterait que toutes les pistes soient réellement explorées et qu'une voix respectée s'élève pour l'exiger, sans préjuger du résultat final des enquêtes.

Dans son fauteuil, le Maestro fumait et, sous les paupières tombantes, derrière les larges lunettes, sa ressemblance avec un grand duc était accentuée par l'intensité du regard : pour ses lecteurs, il était difficile de ne pas le reconnaître, c'était le regard à la fois impitoyable et tendre que ses livres posaient sur le monde. Mais Ricardo ne l'avait pas lu, il avait juste vu quelques épisodes d'une adaptation télévisée. Leur diffusion avait été l'occasion d'un moment de communion familiale, Silvia et sa mère se déclaraient amoureuses des beaux yeux de l'acteur principal, Domenico critiquait les décors d'une Sicile trop propre et Ricardo aimait beaucoup Catarella, l'idiot du commissariat qui parlait le *talien*, un italien macaro-nique. Quand même, il préférait *Ninja Gaiden Sigma 2* ou *Survival Horror*.

De sa voix rocailleuse qui semblait imiter l'imita-tion qu'en faisait un célèbre comique, le Maestro promit d'écrire un article pour un grand journal natio-nal. Puis, coupant court aux remerciements, il inter-rogea Domenico sur ses origines siciliennes, ils ne tardèrent pas à se découvrir des connaissances com-munes à Catane, échangèrent quelques potins sur les coulisses de la RAI. Ricardo s'ennuyait un peu. Ensuite, sur une question de Giovanna, le Maestro raconta son prochain roman. Ricardo dressa l'oreille. Jamais il n'avait entendu si bien raconter une his-toire. D'autant que la langue si particulière de cet homme lui était parfaitement compréhensible, car elle ressemblait beaucoup à celle de son père (qui soute-nait pourtant que celle du Maestro, ce n'était pas du vrai sicilien) : quand l'écrivain avait dit : *assetatevi,* il avait compris que ce gallicisme signifiait *sedetevi,* asseyez-vous, alors que Giovanna était restée debout un instant, interloquée.

Et maintenant, tandis que la voix travaillée à la cigarette évoquait la passion d'une chèvre pour son berger, il semblait à Ricardo, pourtant saturé de feuilletons télé, qu'on lui racontait une histoire pour la première fois. À travers des récits où les femmes devenaient arbre ou poisson, où les pendus s'envo-laient, où Judas disparaissait et où les futures veuves portaient un tailleur gris, il lui sembla comprendre ce verbe aimer dont on le saoulait, à la télé et dans les chansons, les humains aimant les bêtes, les bêtes aimant les humains, des humains s'aimant entre eux,

190

les humains aimant leur terre. Ricardo allait tous les étés dans le village natal de son père (il trouvait qu'il y faisait trop chaud) mais, là, il lui semblait qu'on lui faisait sentir les raisons d'aimer la Sicile. Il n'aurait pas su le dire avec des mots mais l'amour du Maestro pour son île lui faisait sentir que, démentant l'injonction fasciste « aimez-la ou quittez-la », on pouvait aimer une terre au point de la quitter — pour mieux y revenir en rêve.

Oui, bon, c'est bien beau, l'amour, pensa Ricardo en se secouant, ce qui voulait dire, mais il ne savait pas le dire : et la haine, qu'est-ce qu'on fait quand on a toute cette haine en soi ?

Quand ils furent au bas de l'immeuble, *via* Asiago, Ricardo dit qu'il avait oublié son portable dans le bureau du Maestro, et cette fois c'était vrai. Pendant que les adultes discutaient sur le trottoir, il reprit l'ascenseur antique, retrouva le Maestro et put lui demander ce qu'il devait désirer le plus : la vérité, la justice ou cette fameuse passion sicilienne, la vengeance ?

Comme il redescendait à pied pour mieux réfléchir à la réponse d'Andrea Camilleri, son portable sonna. En voyant le nom qui s'affichait, Ricardo, qui était quand même un fils du Sud superstitieux, remercia mentalement le Maestro, comme si c'était un saint qui venait d'exaucer un vœu.

— Allô, Rottheimer ? lança-t-il, joyeux. Vous n'êtes plus dans le coaltar ?

Il y eut un bref silence, puis :

— Oui, c'est moi. Mais excuse, petit, t'es qui ?

— Mais je suis Ricardo, le fils de Domenico Gardonni. Ma mère a été tuée par l'assassin de Saturnia.

Vous m'avez donné votre numéro et vous avez pris le mien. Vous ne vous souvenez pas ?

— Ben non. Je me souviens pas de grand-chose… je me rappelle surtout le choc… j'avais mon portable à la main quand j'ai été renversé par un camion. Et maintenant, je le retrouve sur ma table de nuit. Quelqu'un me l'a sûrement apporté pendant que j'étais inconscient. Alors, j'ai rappelé ce numéro parce que c'est celui de la dernière personne qui m'a appelé.

— J'ai essayé à tout hasard ce matin. Mais à l'hôpital, on nous a dit que vous étiez encore inconscient.

— Eh ben tu vois, je suis revenu à moi. À propos de l'assassin…

— Vous avez une piste pour retrouver Jean Kopa ?

— Oui, j'ai une piste. Pour le retrouver, lui, et surtout ses commanditaires. Dis à ton père et aux gens du comité de se renseigner sur Gerard Todos. Retiens bien ce nom : Gerard Todos. Un financier américain.

— Gerard Todos. Entendu.

— Je rappelle ce soir, vers 19 heures. Il va falloir que je raccroche parce qu'on va venir me donner des soins et dans cet hôpital, les portables, c'est rigoureusement interdit.

— *Hey man,* lança le polyglotte dès que Dubien eut pris la communication, *what's that shit you did ?*

— Ça veut dire quoi, en français ?

— On ne peut pas dire que l'opération du Crowne Plaza ait été une réussite, hein ?

Dubien soupira.

— Je ne comprends pas comment Levieux a pu

se faire avoir comme ça. C'était un grand professionnel.

— Les Partenaires Associés m'ont chargé de vous
faire part de leur mécontentement. Vous savez, je
vous aime bien, vous me faites passer des soirées
divertissantes, mais je ne pourrai pas vous couvrir
éternellement. Votre tueur commence à faire de gros
dégâts.

— « Notre », c'est le « nôtre », mon vieux.

— *Cazzo, no*. C'est vous qui l'avez choisi.

— Recommencez pas, je l'ai pris parce que vous
me demandiez d'agir vite. C'est un des meilleurs sur
le marché.

— Qu'est-ce que ça doit être, les autres ! Ça craint,
vous savez. J'ai appris qu'un journal en ligne est en
train d'enquêter sur Défense Dubien. Ils ont eu vent
de votre personnel à double salaire. Ils se sont même
procuré une liste.

— QUOI ?

— Ah, ça y est, vous commencez à vous inquiéter ? Bon, sur ce coup-là, pas de problème, je connais
le patron du site, il se la joue journaliste indépendant
mais il ne mordra pas la main qui le nourrit. Il faut
en finir, et vite.

— J'ai des amis à la SDAT, et au GIGN. Ils m'ont
assuré que la capture de Kopa n'était qu'une question d'heures. Et ils m'ont expliqué qu'avec un individu aussi dangereux, la consigne pour chacun sera
de tirer dès qu'on se sent menacé. C'est très subjectif
de se sentir menacé, vous me comprenez ?

— Parfaitement. Mais grouillez-vous !

— Je vais vous laisser, j'ai un truc urgent…

Dubien coupa la communication. En réalité, il était

surtout intrigué par un détail qui avait accroché son regard depuis qu'il avait entamé la conversation, devant la baie vitrée. Sur le toit de l'immeuble d'en face, de l'autre côté de la dalle de la Défense, à trois cents mètres environ, un groupe de trois ou quatre ouvriers — du moins supposait-il qu'il s'agissait d'ouvriers — s'activaient, transportant une espèce de long tube souple.

Dubien ouvrit un tiroir, en sortit une paire de jumelles, régla l'appareil sur les silhouettes minuscules. À l'instant où les têtes et les bustes des hommes apparaissaient, la bâche qu'il avait prise pour un tube et qu'ils avaient disposée au bord du toit se déploya et sur une cinquantaine de mètres, cachant les vitres des derniers étages, apparut une immense banderole qui ne comportait qu'un mot :

SATURNE

« Merde merde merde », marmonna Lucien Dubien tandis qu'il composait le numéro de son chef de sécurité pour l'immeuble. Mais il savait que ses vigiles arriveraient trop tard pour choper ces types. Et de toute façon, songea-t-il, si on en attrapait un, ce serait sans doute un Albanais, un Polonais, un Sri-Lankais, en tout cas un de ces types qui attendaient qu'on leur propose du travail sur certains coins de trottoir de la ville, au Sentier, à Belleville, dans le XIIIe. Dubien savait déjà ce que le mec raconterait, et ce serait peut-être même vrai, qu'un inconnu rencontré dans un bar les avait embauchés et grassement payés d'avance pour accomplir ce qu'il avait présenté comme un canular publicitaire. Et c'était bien un canular, non ? Que pouvait-il y avoir de si déplaisant dans l'apparition d'un mot, un seul mot, en face des bureaux de

Défense Dubien ? Et même si, le temps que les vigiles arrivent, quelques centaines de personnes, un ou deux milliers peut-être, voyaient ce mot, ce n'était pas bien grave, non ? Juste ce mot :

SATURNE

— Tu es sûr que c'était Rottheimer ? demanda Domenico à son fils, sur le trottoir devant l'immeuble du Maestro.

— C'était son numéro en tout cas, le numéro qu'il m'a donné, répondit le garçon.

— Fais voir, intervint Giovanna. Je l'ai moi aussi.

Elle compara le numéro qui avait appelé avec celui de Rottheimer qu'elle avait sur son propre appareil.

— C'est bien ça, dit-elle.

Elle appuya sur la touche rappel, colla l'oreille à l'appareil, attendit sous le regard des Gardonni père et fils.

— Le répondeur…, annonça-t-elle avant de laisser un message : « M. Rottheimer, pouvez-vous me rappeler d'urgence ? C'est Giovanna Grassi. Ricardo nous a raconté votre appel. Nous aimerions avoir plus d'explications. »

— Mais tu ne pouvais pas lui proposer d'attendre une minute, demanda-t-elle au garçon, le temps que tu arrives en bas de l'escalier ?

— Je l'ai fait, mentit Ricardo qui en réalité n'y avait pas songé. Mais Rottheimer était pressé, ajouta-t-il, soulagé de revenir dans le vrai car le regard de Giovanna le mettait mal à l'aise. Il a dit qu'on n'avait pas le droit d'utiliser de portable à l'hôpital et qu'on allait lui administrer des soins.

Giovanna passa une main sur ses cheveux qu'elle avait coupés très court.

— Si on retournait chez moi pour contacter les autres, et réfléchir ensemble ? proposa-t-elle. J'ai le numéro de l'hôpital chez moi, l'hôpital où est Rottheimer, on pourra peut-être le rappeler dans sa chambre. Si on n'arrive pas à le joindre, il ne nous restera plus qu'à attendre 19 heures.

La peinture des murs s'écaillait, le mobilier était hideux mais la vue sublime, sur le forum et sur le Colisée. Et puis, ils auraient pu me faire attendre dans une cellule, se dit Simona, ce qui ne la consola pas. La porte fut ouverte par le carabinier qui, dans le couloir, jouait les plantons.

— Avocat, annonça-t-il comme un maton à un détenu.

Un grand jeune homme mince entra, en chemisette à manches courtes et pantalon blanc à pinces, un dossier sous le bras.

— Bonjour, ma tante, dit-il en embrassant Simona sur les joues.

— Albertino ! Comme je suis contente de te voir ! Il faut que je sois dans la merde pour que tu daignes venir voir ta vieille petite tante ?

Ils s'assirent de part et d'autre de la table.

— Comment va ta mère ? demanda-t-elle.

— Bien. Enfin, elle est inquiète pour toi. Bon, on entre dans le vif du sujet ?

— Eh bien, je vois que tu as pris le genre efficace. Je t'ai connu plus rêveur.

— Ma tante, ce n'est pas vraiment le moment de rêver, dit l'avocat.

Une légère rougeur lui était venue aux joues et il baissa les yeux sur le dossier. Il s'éclaircit la voix :

— J'ai eu une discussion informelle avec Prontino. Le procureur général de la DNA est d'accord pour les arrêts domiciliaires. En attendant la suite de l'instruction.

— Les arrêts domiciliaires ? ricana Simona. Rien que ça ? Pourquoi pas la taule ? Mais enfin, c'est grotesque ! Tout ça à cause des délires d'un boss mafieux manipulé par les services ! Ce Claudio Palomara ferait n'importe quoi pour qu'on lui enlève une ou deux perpétuités !

Dans un mouvement de tête qui rappela aussitôt à Simona un gamin un peu boudeur qu'elle gardait avec plaisir quand sa mère venait de Civitavecchia faire les soldes dans la Cité éternelle, le jeune avocat rejeta une mèche en arrière et baissa les yeux :

— Il n'y a pas que ça, ma tante. Il y a aussi ta rencontre avec Piergiorgio Palomara. Tu as été photographiée, dit-il en ouvrant le dossier pour en tirer plusieurs clichés.

— Avec qui ?... Quoi ? Merde ! s'exclama Simona. Ce type... Piergiorgio Palomara ? C'est un membre de la famille de Claudio Palomara ?

Sur le premier cliché, l'homme se tenait de dos mais elle avait reconnu le décor. Les bords du Tibre, à deux pas de l'endroit où elle nourrissait les chats. La deuxième photo ne laissait pas place au doute : c'était l'homme grand et gros en veste de jean et T-shirt Snoopy, l'homme qui l'avait appelée du portable de Jacopo Sarasso et lui avait donné rendez-vous près du pont Sublicio pour le lui rendre...

— Un des neveux du boss... Il a été arrêté hier

soir, dit Albertino, et il a raconté qu'il avait été envoyé à Rome par ses chefs pour te remettre ce portable. D'après Prontino, cela pourrait t'impliquer aussi dans le meurtre d'Aldo.

La dernière phrase était si énorme qu'elle ne la releva pas. Les photos, manifestement prises au téléobjectif depuis l'autre rive du Tibre, la montraient dans toutes les phases de sa conversation avec le 'ndranghetiste.

— Mais je lui ai demandé ses papiers…

— Il dit que tu as relevé sa fausse identité parce qu'il t'avait demandé de lui faire fabriquer un vraifaux passeport. Il a été arrêté peu après sa rencontre avec toi par des hommes de l'Agence pour l'information et la sécurité intérieure qui l'ont remis une heure après aux carabiniers…

Simona ricana.

— L'Aisi l'a gardé juste le temps de lui mettre un marché en main…

— Sans doute. Toujours est-il qu'il a accepté de collaborer avec la justice, et il a donné déjà pas mal d'informations sur la 'ndrangheta. Des caches d'armes, des filières d'immigration clandestine, de trafic de prostituées. C'est en cours de vérification, mais pour l'instant, tout est juste.

— Sauf ce qui me concerne.

— Sauf ce qui te concerne, ma tante, répéta l'avocat avec un empressement que Simona trouva suspect.

— *Porca Madonna*, s'énerva l'Italien, mais c'est quoi ce bordel ? Pendant que nous, on se fait un cul comme ça pour sortir votre Kopa de l'histoire, on

198

mouille même une policière respectée qui a des tas d'appuis dans la politique et dans les syndicats pour essayer de brouiller la piste de votre Kopa, et vous, comme ça, vous décidez de le balancer ? Alors que nous allions faire disparaître ses traces ADN des labos pour cause d'erreur de manipulation, vous, vous balancez sa photo aux médias ! Mais c'est quoi, ça ? On joue à quoi, à la collaboration au niveau européen entre privé et public ou alors on joue à qui la mettra dans le cul de l'autre, hein ? Expliquez-moi, Dubien ! Parce que si vous voulez la guerre...

— Calmez-vous, mon vieux. Nous avons été obligés, nous avions perdu tout contrôle sur lui, c'était devenu, comment dites-vous, *una mina vagante,* une mine flottante. Il a flingué trois de mes hommes.

Dans l'écouteur, il y eut une pause puis la voix laissa tomber, soudain fort calme :

— Je souhaite pour vous, Dubien, qu'une fois arrêté, il ne parle pas de l'appui que des hommes de mon Agence vous apportent en Italie. Parce que ça serait à notre tour de balancer. Personne n'a intérêt à un grand déballage.

— Ne vous inquiétez pas, il ne parlera pas. J'ai pris toutes les dispositions pour ça.

— J'y compte.

Fin de la conversation.

Dubien s'efforça de calmer sa respiration. Demander l'appui des services secrets italiens n'était pas une bonne idée, mais c'étaient les Partenaires Associés qui l'avaient exigé. Pour plus de sécurité... Tu parles. Le manque de coordination entre les intervenants avait en fait tout compliqué. Les types des services avaient utilisé cette affaire pour régler leurs comptes avec une fliquesse qui leur cassait les pieds depuis longtemps. Du coup, les syndicats de flics commençaient à s'agiter et à s'intéresser de plus près aux coulisses de l'affaire Saturnia. Ça sentait mauvais.

Bon, pour l'instant, se vider la tête.

Il fallait commencer les exercices tête vide et corps détendu, lui répétait le coach personnel qu'il avait fini par virer parce qu'il lui tapait sur les nerfs et provoquait le contraire de l'effet souhaité. Vêtu seulement d'un short, Dubien s'assit sur le tapis de sol, au centre de la pièce blanche où la lumière entrait de trois côtés par de hautes fenêtres. Pendant dix minutes, il garda la position du lotus pour tenter d'entrer en communication avec le Grand Tout. Comme d'habitude, le Grand Tout ne répondit pas mais le colonel se sentit mieux. D'un seul élan, avec une fluidité dans le mouvement dont il fut assez fier, il se leva. À peine était-il assis sur le vélo d'appartement que le téléphone sonnait de nouveau.

— Qu'est-ce qui se passe ? dit-il après un coup d'œil à l'écran.

— Une urgence, dit le polyglotte. Fininvest a revendu ses parts dans votre société.

Dubien gueula :

— Quoi, comme ça, sans prévenir ? Ces fumiers de Ritals ! Et à qui ?

— À XXL.

— Ah ben, bravo pour l'esprit européen ! Ils veulent que je me fasse bouffer par cette grosse boîte américaine de merde, avec leurs consultants qui tirent dans la foule dès que la situation leur échappe et qui foutent la merde aux quatre coins du monde ?

— Bah, on ne peut pas dire que votre dernière opération ait été beaucoup plus brillante. Et l'histoire de la banderole, hier, c'est sûr que ça n'a rien arrangé. Votre homme, vous avez beau dire que vous allez en finir avec lui, pour l'instant, il fait encore des dégâts. Nous, chez les Partenaires Associés, on en a marre.

— Ah, c'est pour ça... Une mesure de représailles pour le bordel de Saturnia.

— De précaution, en tout cas. Imaginez si on découvrait que la société d'investissement du Premier ministre italien a des intérêts dans la boîte qui a embauché le tueur de Saturnia.

Dubien laissa passer le temps de deux respirations pour retrouver une voix égale.

— Bah... de toute façon, je reste majoritaire.

— Eh non, dit le polyglotte en adoptant un ton navré, non mon vieux, non...

La main de Dubien qui agrippait le guidon blanchit tant elle serrait le métal froid.

— Pourquoi ça... attendez... j'y crois pas... vous avez vendu vos parts personnelles aussi ?

— Mon vieux, il faut me comprendre. Je suis un homme d'affaires respectable, désormais. J'ai une entreprise à protéger. C'était une erreur de ma part, de proposer à mes partenaires une firme où j'ai des intérêts. En cas de foirade complète, vous savez comment ils sont, il leur faut un coupable et après s'en être pris à vous, ils auraient fini par s'en prendre à moi. Donc, me dégager était une urgence. Si vous n'aviez pas merdé...

— Sale lopette pourrie, hurla l'ancien du 11e choc, la prochaine fois que je te vois, je t'éclate la tronche.

— Ah, fit le polyglotte avec un petit ricanement. Je suis mort de peur. En attendant, j'oubliais :

n'essayez pas de retourner vous soulager la libido au Baldaquin, la boîte est entièrement tombée dans mon escarcelle et les videurs ont reçu des consignes strictes vous concernant. Mais consolez-vous, on va sûrement vous trouver un boulot à la hauteur de vos compétences, chez XXL. Je crois qu'ils comptent développer le secteur du gardiennage de parking.

Fin de la communication. Dubien regarda son mobile quelques instants puis l'éteignit.

— Eusèbe ! appela-t-il à haute voix.

Un Noir athlétique apparut sur le seuil de la pièce, portant un uniforme de toile blanche à boutons dorés, que Dubien lui avait fait endosser après avoir vu semblable tenue sur le domestique de confiance d'un philosophe médiatique chez qui le polyglotte l'avait fait inviter à dîner. Le philosophe avait aimé l'homme d'action qui avait comme tout le monde trouvé le philosophe très con mais très chic.

— Digoxine, dit Dubien.

Le coach lui avait conseillé de ralentir les battements de son cœur avant l'effort. Et il n'avait plus le temps pour des exercices de relaxation. Dans une heure commençait la réunion du conseil d'administration, au cours de laquelle il devrait donner quelques explications et qui se conclurait presque à coup sûr par son éviction de la société qu'il avait créée. C'était plus dur à avaler que les trois pilules que lui présentait Eusèbe.

Il commença à pédaler. La substance extraite de la digitale laineuse est un médicament à marge thérapeutique étroite, c'est-à-dire que la dose thérapeutique est proche de la dose toxique. Elle commença à faire son effet. Un grand calme lié au ralentissement du cœur tomba sur Dubien, tandis que ses jambes tricotaient de plus en plus vite.

Au bout d'une minute, les couleurs changèrent. Les murs blancs rosissaient par taches, viraient au rouge. Il regarda ses mains, devenues jaunâtres.

Puis des vapeurs montèrent du sol. Il pédalait dans un bassin aux eaux soufrées. Ce n'était pas désagréable. La vapeur se densifia, des masses prirent forme. Une silhouette s'épaissit, qui s'élevait bien au-delà du plafond, plus haut que l'immeuble, et dont le volume bientôt surplomba la Défense. C'était un géant barbu, à la chevelure léonine, aux yeux écarquillés, aux pupilles dilatées par l'absorption d'un médicament à dose toxique, à la bouche ensanglantée. Sa main tirait vers le bas sur un corps, pour aider ses dents à déchiqueter ce qu'il mastiquait, un enfant, douze ou treize ans peut-être, un second était serré dans l'autre main.

Saturne dévorait ses enfants.

Dans la pièce voisine, Eusèbe perçut le bruit sourd d'un corps tombant au sol, puis des gémissements. Mais il continua de repasser son costume de rechange pendant encore cinq bonnes minutes avant d'aller voir, en laissant le fer à plat sur un revers du blazer à boutons dorés.

Dans la buanderie, parvint bientôt, étouffée par la cloison, la voix d'Eusèbe annonçant au téléphone que ça y était, puis il appela le Samu, et cela dura assez longtemps pour que le contact du fer brûlant et du tissu blanc produise une épaisse fumée noire qui envahit la pièce immaculée, déposant une couche fuligineuse sur les piles de vêtements et de sous-vêtements impeccablement alignées sur des étagères.

Eusèbe était enfin débarrassé de cet uniforme qu'il avait toujours détesté.

Malgré un confort supérieur et des odeurs de friture, les lieux lui rappelaient un certain réduit dans l'école de Falloujah, ce qui lui fit accorder quelques pensées au vieil Aldo. Même s'il comprenait que c'était indispensable s'il voulait effacer ses traces, Jean Kopa n'avait pas aimé devoir le liquider. Éprouver des sentiments personnels pour une cible était un événement rarissime. En réalité, ça ne lui était arrivé qu'une fois auparavant, et il préféra chasser aussitôt l'image de cinq têtes de moines coupées par ses soins pour mettre fin à une tentative de transaction entre le GIA algérien et la DST. Après quoi, il avait fait savoir qu'on ne devait plus jamais l'employer contre un ecclésiastique. Le vieil Aldo répétant « Jean, arrête, Jean » tandis que l'interpellé s'efforçait de le maîtriser pour l'égorger, c'était un souvenir à peine moins pénible, les griffures du chat sur sa main et les coups de dents du lapin sur ses chevilles constituant au fond la seule note comique de cette soirée. Je suis en train de perdre la main, se dit-il et ce n'était pas l'exécution de Levieux et de ses sbires qui le rassurait beaucoup. En fait, ça n'avait marché que parce que les autres avaient fait preuve de beaucoup de négligence. « On est vieux », conclut-il en songeant à certains gamins de vingt ans qu'il avait croisés, du côté du Kosovo, et à d'autres d'à peine treize ans, dans les provinces orientales du Congo. Ceux-là ne considéraient pas la froideur du regard et la maîtrise des gestes comme leur idéal : en tuant, ils riaient.

Après s'être contraint à avaler trois bouchées, Kopa repoussa le bol de nouilles chinoises baignant dans un jus noir à l'odeur forte. Assez divagué. Il fit pivoter son siège de quelques centimètres et alluma l'ordinateur portable posé sur le bureau métallique sur lequel il avait mangé. Quand il était debout, sa tête effleurait le plafond, l'éclairage était fourni par une unique ampoule nue, l'aération par une étroite fente d'où pulsaient des odeurs de nuoc-mâm. Quand il s'allongeait dans la plus grande longueur, ses pieds n'étaient plus qu'à dix centimètres de la porte. Mais la télévision et l'ordinateur, en contact wi-fi avec la Freebox à l'étage au-dessus, fonctionnaient parfaitement. Et à trois reprises, dans la journée, la porte blindée s'était ouverte, un Asiatique maigre et boiteux lui avait tendu un bol.

Quand il avait vu sa tête en première page des journaux, Jean Kopa avait compris qu'il devait disparaître s'il préférait éviter de tomber sous les balles de policiers en état de légitime défense. Le déploiement de la banderole avait été son dernier défi avant de chercher un refuge à l'abri des regards. Pour cela, il s'était adressé à la seule organisation criminelle dont il était sûr qu'elle n'avait pas en son sein d'indicateurs des flics ou de Défense Dubien, le réseau de M. Ho, le patron de l'Empire. L'Empire, c'était, sur trois étages entiers d'un gros immeuble au carrefour de Belleville, un restaurant qui servait différentes cuisines d'Asie accommodées au goût français moyen (le quatrième niveau était réservé). L'Empire, c'était aussi, pour les connaisseurs (hauts fonctionnaires, banquiers luxembourgeois, flics de la financière), l'ensemble des affaires dans lesquelles M. Ho, le propriétaire, avait des intérêts. Il ne s'agissait ni de l'Empire, comme état présent du capitalisme mondial, ni de l'Empire du Milieu, la plus durable des formes de domination des masses inventées par l'homme. Rien à voir. Ou peut-être que si.

Pourtant, malgré toute sa puissance, M. Ho n'avait pas été de très bon conseil en l'adressant à ce journaliste affairiste, Michele Ridente, quand Kopa avait envisagé une exfiltration par Naples, une fois le coup de Saturnia exécuté. C'était Ridente qui l'avait balancé au vieil Aldo. Heureusement que les communications de Jacopo Sarasso étaient surveillées par les services secrets italiens, qui s'intéressaient à son enquête en Émilie-Romagne. Et ce qui restait du clan Palomara, d'après ce qu'avait compris Kopa, s'était occupé d'éliminer Sarasso.

Kopa avait dû se résigner à revenir demander son aide à Ho, car il n'avait pas d'autre option. D'ici un jour ou deux, avait promis le Chinois, on organiserait son transfert auprès de sa sœur, en attendant de mettre au point une filière d'exfiltration sûre, avec peut-être entre-temps une intervention chirurgicale pour lui modifier le visage. À condition que Kopa dispose des fonds suffisants, avait précisé le patron de l'Empire.

Mais là-dessus, il n'avait pas d'inquiétude, il avait fait sa pelote et elle était à la fois bien à l'abri et disponible à tout instant.

L'inquiétude venait de ce qu'il se demandait si les « deux ou trois jours » de délai risquaient de ressembler à ceux qu'avait promis le gardien de l'école de Falloujah. L'inquiétude venait aussi de ce qu'il sentait que cette perspective, rester indéfiniment enfermé dans ce réduit, ne serait pas pour lui déplaire. Au fond, qu'est-ce qu'il cherchait d'autre, avec cette tentative d'organiser une fuite dans un recoin caché de la planète ? Qu'est-ce qu'il désirait d'autre qu'un réduit avec un ordinateur et la bouffe trois fois par jour ?

Sauf qu'il y avait Jeanne.

Il reporta son attention sur l'ordinateur et tapa trois mots sur le moteur de recherche monopolistique mondial : « Fondation internationale de téléologie ». Il cliqua sur la première occurrence et l'écran fut envahi par l'image d'un de ces manoirs du XIXᵉ siècle pastichant le Moyen Âge qu'on rencontre dans tous les coins de la campagne française, ici une colline boisée de cèdres magnifiques. Une devise se mit à clignoter plein écran : « Donner à la Terre la conscience du But. Donner une fin à Gaïa. »

Tandis que le texte programmatique de la fondation se déroulait, des images du château et de son jardin se succédaient en fond d'écran. Au chapitre « appuyer sur le levier de la finance », Kopa stoppa le défilement rapide et se plongea dans la lecture.

La téléologie, science des fins dernières, est ce qui définit le mieux notre projet, mais un seul mot ne le résume pas. Pour sauver Gaïa, pour sauver la terre en tant qu'organisme vivant, il n'y a qu'une voie : la débarrasser de ce cancer que représente aujourd'hui la forme de vie humaine, une forme de vie totalement financiarisée. Il ne s'agit pas, comme le soutiennent à tort mais avec aussi quelques solides arguments nos frères délirants du Mouvement de libération de Gaïa, de faire disparaître l'espèce humaine en tant que telle. Il s'agit d'entrer dans le mouvement qui conduit la forme de vie actuelle à s'autodétruire pour laisser la place à une autre. Il s'agit de seconder ce qui pousse le capitalisme tardif à détruire ce qu'il a fait naître, de pousser au

paroxysme un système qui se nourrit de ce qu'il engen-
dre, qui s'auto-cannibalise, **comme Saturne dévorant**
ses enfants...

Quand Kopa eut terminé la lecture de ce chapitre, il se dit qu'il allait sans doute devoir faire une incursion hors de sa tanière. Puis il cliqua sur le pavé « le bureau de la fondation » et entreprit des recherches sur les noms des dirigeants.

Tomba en arrêt sur un nom.

Trouva le lien qu'il cherchait.

Ça y était. Devant ses yeux.

Il lut et relut, médita.

Revint sur le site de la Fondation. Tandis qu'il réfléchissait intensément sur la suite, sur la tactique et sur la stratégie, ses yeux restaient attachés à l'écran.

En arrière-fond du texte, on apercevait le toit pointu des tourelles du château et, au premier plan, devant un cèdre sinueux, un buisson d'hortensias haut comme un homme, grouillant d'efflorescences roses dont certaines bleuissaient.

Le surlendemain, accroupis au pied du même buisson, Giovanna, Domenico, Roberto et Ricardo pouvaient constater que la floraison n'avait pas commencé : la photo du site avait dû être prise à une époque plus tardive de l'année.

Quand ils étaient retournés chez Giovanna, après l'entrevue avec le Maestro et le coup de fil de Rottheimer à Ricardo, ils avaient rappelé l'hôpital français, où on leur avait répondu qu'il était impossible d'entrer en contact avec M. Rottheimer, toujours placé en unité de soins intensifs. Tout ce qu'ils parvinrent à comprendre, ce fut que l'état général était stable.

En attendant 19 heures, on consulta la rubrique Wikipédia de Gerard Todos. Roberto, qui avait suivi des cours d'histoire contemporaine pour tenter de passer du statut d'instituteur à celui de professeur, compléta la recherche en allant sur les sites des différentes fondations du personnage, et à la fin, livra un résumé. Patron de Tantum, un des plus puissants fonds d'investissements mondiaux, qui gérait depuis le paradis fiscal de Curaçao des fonds d'origine inconnue, Todos était connu aussi bien pour sa capacité à engranger des milliards de dollars en jouant sur les taux de change, que pour ses fumeuses théories écolos radicales. Le personnage était ambigu : d'un côté, il avait été un opposant acharné à Bush et à la guerre en Irak et, de l'autre, il avait une participation importante dans XXL, société qui avait de juteux contrats de sécurité en Irak. Une bonne partie de sa fortune (Roberto se souvenait du chiffre de 13 millards de dollars l'année précédente) était employée à des œuvres philanthropiques : création d'universités dans les pays émergents, recherches sur les sources d'énergie renouvelable, et aussi, cette Fondation de téléologie qui semblait incarner le noyau dur de son idéologie…

Giovanna secoua la tête :

— Je ne vois pas ce qu'un type comme ça viendrait faire dans un attentat à Saturnia.

— Moi non plus, commença Roberto mais le portable de Ricardo sonna. En voyant le numéro, le garçon montra son appareil à son père, qui prit la communication.

— Rottheimer ? dit Domenico.

— Oui, c'est moi, j'ai récupéré mon portable. J'ai obtenu de le garder. Vous êtes ?

— Domenico Gardonni. Je suis avec Mme Grassi et M. Benedetti.

— Ah, très bien. J'ai besoin de vous. Il s'est passé quelque chose, écoutez-moi.

— Non, attendez… Nous voudrions…

— Écoutez-moi, je vous dis, on doit venir me chercher de nouveau pour un IRM. Pendant qu'on me faisait des examens, quelqu'un est entré dans ma chambre et m'a laissé des indications supplémentaires sur ma table de nuit. J'ai une petite idée sur l'identité de cette personne, mais pour le moment, le plus urgent, c'est que vous écoutiez.

Ils avaient écouté. Et le résultat de cette écoute attentive, c'est que, environ trente-six heures plus tard, ils étaient assis au pied d'un massif d'hortensias et que Roberto murmurait :

— Je ne suis pas sûr de ce qu'on vient faire ici.

— Retrouver les responsables de la mort de ma mère, répondit Ricardo.

— Et de vos amies, aussi, dit Domenico.

— On vient chercher la vérité et la justice, dit Giovanna.

— La vengeance, dit Ricardo. IRL, la vengeance.

— I quoi ? demanda Roberto.

— IRL. *In Real Life.*

9

IRL

Dans la vie réelle, Jean Kopa n'était pas né en Pologne mais dans le Vimeu, région picarde réputée pour sa production de serrurerie et de portes de prison. Sa mère, cinquième enfant d'un mineur polonais de Liévin, avait quitté le coron natal pour fuir un peu plus bas sur la carte de France, quand elle avait découvert, à quinze ans, qu'elle était enceinte des œuvres de son oncle, et qu'elle voulait garder l'enfant. Elle avait trouvé un emploi dans une fabrique de meubles à dix kilomètres d'Amiens mais le très catholique clan familial n'avait jamais cessé de la chercher et, six ans plus tard, il l'avait retrouvée.

Le messager venu annoncer à Maria Kopa que son escapade était terminée et que sa famille allait lui assurer une situation matérielle plus confortable n'était autre que l'oncle incestueux. Jean gardait le souvenir d'un géant roux aux mains gigantesques et aux manières débonnaires, qui l'embrassait trop souvent pour son goût. Maria se laissa convaincre d'épouser le directeur d'une ferme d'État polonaise en quête d'une épouse française censée lui permettre d'obtenir plus facilement, le jour venu, l'autorisation d'émigrer en

France. Comment on la convainquit, l'histoire reconstituée par Jean ne le disait pas.

Entre le printemps picard et l'hiver où il entra dans un pensionnat à Olsztyn, sa mémoire ne lui restituait aucune transition. Dans cet établissement, les enseignants invoquaient sans cesse l'esprit des chevaliers teutoniques fondateurs de la ville. Ici, on était en guerre contre le péché comme sept cents ans plus tôt contre les païens.

Jean Kopa se rappelait avoir été fasciné par les ennemis de Dieu, ces tribus prussiennes adoratrices de Perkunas, divinité de la foudre qui frappe le chêne cosmique. L'idée de ce feu qui s'unit à ce qu'il foudroie fit beaucoup, pensa-t-il par la suite, pour éveiller sa vocation de tueur. Mais, dans un premier temps, ces pensées-là furent vivement refoulées par la férule, les purges et les seaux d'eau glacée du père Kovalski. Vingt-cinq ans après qu'il eut subi ces sévices, la présence du mémorandum américain autorisant notamment le *water boarding* comme technique de torture fut donc sa propre touche personnelle dans l'attentat de Saturnia. En Irak, il avait plusieurs fois assisté à ce type d'interrogatoire et tandis que d'autres consultants présents observaient le spectacle avec des sensations de jouissance ou de dégoût, il revivait des souvenirs d'enfance. Après plusieurs milliers de *Pater Noster* et d'*Ave Maria* et des dizaines de réveil suffocant, le petit Kopa avait admis qu'il ne lui restait plus qu'à chercher dans l'absolu de la soumission le moyen d'attendre le jour de la vengeance.

Se soumettre, sourire au bourreau et lui dire qu'il a eu raison d'être dur. Tel était sans doute aussi, pensait-il, le choix de tant de torturés qui prétendaient avoir été retournés, c'est pourquoi il se permit de conseiller aux Américains de tous les tuer quand ils auraient fini de leur tirer les informations utiles qu'ils détenaient. Mais ce n'était qu'une garantie médiocre, puisqu'il aurait sans doute fallu aussi tuer leurs proches, leur famille, leur clan, leur tribu, leurs coreligionnaires, et au final, conclut-il à l'adresse de l'impassible officier bostonien avec qui il avait vidé une bouteille de whisky, ce sont des peuples entiers qu'il faudrait éliminer pour échapper à la vengeance qui tôt ou tard... Et vous autres, les Yankees nourris au lait aigre et au miel toxique de l'Ancien Testament, vous continuerez à rendre œil pour œil, dent pour dent, ou plutôt des milliers d'yeux et des milliards de dents pour chaque unité détruite par l'adversaire. Bref, j'aurai toujours du boulot, avait-il conclu dans un hoquet, puisque nous sommes entrés dans un siècle où la seule vraie foi, partagée par tous, c'est la foi qui pousse des gamins de Kaboul ou de Mogadiscio à mettre une ceinture d'explosifs, celle qui anime les pilotes des drones et les tireurs d'élite cherchant à les abattre, c'est toujours la même foi, c'est la *vendetta*.

En disant cela, il avait dans la tête l'image du père Kovalski auquel il avait, vers l'âge de seize ans, promis à demi-mot quelques privautés avant de le rejoindre secrètement dans sa chambre, et qu'il avait quitté les couilles dans la bouche et la gorge tranchée (le jeune Jean avait lu plusieurs livres sur la guerre d'Algérie). Pour qu'on ne lie pas le meurtre avec sa propre disparition, le garçon avait ensuite attendu un bon mois avant de s'enfuir définitivement du centre d'apprentissage. Il était allé retrouver sa mère dans la villa où elle vivait encore, celle du directeur de la ferme d'État. L'époux se trouvait pour quelque temps encore derrière les barreaux pour malversations exagérées mais Mme Kopa n'était pas seule puisque l'oncle lui tenait compagnie.

Dans son réduit odorant le nuoc-mâm, Jean Kopa se souvenait du dîner que maman avait mis un point d'honneur à confectionner suivant les canons du dimanche français. À trente et un ans, c'était une belle femme plantureuse et placide qui semblait avoir épuisé toutes ses capacités de révolte dans sa fugue, seize ans plus tôt. Depuis, elle s'était laissé trimbaler de Picardie jusque dans cette ancienne province de la Prusse-Orientale, et elle y avait fait ce que la famille lui avait dit de faire : déposer son fils à la consigne des curés, devenir la bonne épouse d'un affairiste. Maintenant, elle semblait surtout attentive à satisfaire la gourmandise du géant roux assis en bout de table.

Durant ses années de pensionnat, Jean avait développé à un haut degré ces techniques de survie qu'étaient le mensonge et la dissimulation. Il s'était habitué à ne plus dire la vérité qu'en confession, avec un vieil abbé qui donnait des pénitences fort douces pourvu qu'on s'assît sur ses genoux. En fixant sur sa mère le regard innocent de ses grands yeux clairs, il raconta donc que son centre d'apprentissage lui avait trouvé un emploi à occuper d'urgence, à Varsovie. L'oncle n'avait pas commenté, il s'était contenté d'enfourner de grandes quantités de nourriture mais, après le gigot aux flageolets et la tarte Tatin, il s'était levé en marmonnant une phrase incompréhensible et avait quitté la pièce.

Restée en tête à tête avec son fils, la mère avait annoncé :

214

— Il faut que je te dise quelque chose.

Puis elle s'était tue et quelques minutes avaient passé.

La porte de communication entre la cuisine-salle à manger et le salon était à double battant et la première chose que Jean vit quand elle s'ouvrit, ce furent des roues et au-dessus, émergeant d'une couverture, ce qu'il prit d'abord pour des pattes d'oiseau, héron ou cigogne, absurdement revêtues de longues chaussettes rouges. La chaise roulante acheva de passer le seuil, poussée par l'oncle, et la méprise aurait pu se poursuivre au vu du crâne de piaf couvert d'un léger duvet mais des yeux rencontrèrent les siens. Deux grands yeux bleus d'un être très maigre, aux membres déformés comme des ceps de vigne, les lèvres crispées dans une moue asymétrique. Deux yeux enflés d'une eau céleste qui déborda bientôt dans ses yeux à lui.

— Voilà ta sœur, dit la mère en français.

L'oncle roux plaça la chaise entre elle et Jean, tira un biberon d'un placard, prépara une bouillie. Les yeux du garçon ne quittaient pas ceux de la fillette.

— Elle est née comme ça, précisa la mère, en 81. Tu étais depuis un an au pensionnat, et je n'ai pas voulu t'en parler parce qu'on nous avait dit qu'elle ne survivrait pas longtemps. Et pourtant, tu vois, ajouta-t-elle avec une caresse légère sur le crâne duveteux, elle est encore là. De toute façon, les médecins m'ont dit que son espérance de vie était très limitée.

Jean tourna vers sa mère un visage contracté de fureur.

— Pourquoi tu dis ça devant elle ? Tu crois qu'elle est sourde ?

La mère recula sa chaise comme pour mettre une distance de sécurité entre son fils et elle.

— Non, elle n'est pas sourde mais elle ne peut pas comprendre.

— Qu'est-ce que t'en sais ?

— Les médecins…

Jean s'était levé.

— Bon, dit-il, je dois partir. J'ai un train à prendre.

— Déjà ?

Sans répondre, il s'était penché à l'oreille de la fillette dont les yeux avaient suivi chacun de ses mouvements.

— Je vais revenir te chercher, chuchota-t-il contre le pavillon rosé au dessin délicat. Bientôt. Attends-moi.

Puis il s'était dirigé vers la porte.

— Elle s'appelle Jeanne, avait crié sa mère dans son dos.

C'était un an avant la chute du mur de Berlin. Trois ans après qu'une foule joyeuse eut franchi la porte de Brandebourg en quête d'une liberté qui devait s'avérer plus évanescente que prévu, Jean était retourné dans la ville des chevaliers Teutoniques. Entre-temps, il était devenu chef d'une bande de pirates qui braquaient les poids lourds russes en route vers l'Allemagne. Ce jour-là, il pilotait une ambulance volée deux cents kilomètres plus à l'ouest et en la garant devant le domicile de l'ex-directeur d'une ferme d'État désormais démembrée entre petits paysans, il perçut des cris faciles à identifier : on coïtait. C'étaient sa mère et l'oncle qui célébraient à leur manière la liberté reconquise à l'Est et la mort du mari derrière les barreaux à l'Ouest où ses affaires avaient mal tourné.

216

Jean traversa le jardin, contourna la maison, entra dans une pièce où des yeux bleus, immenses et lumineux, l'accueillirent.

Il cala la chaise roulante à l'arrière de l'ambulance et, avant de partir, tandis que maman et son oncle haletaient encore, étendus sur le dos, il alla chercher dans son véhicule le bidon d'essence amené exprès, le vida sur le seuil et craqua une allumette.

Les médecins allemands consultés avaient dû tenir plusieurs réunions avant d'arrêter leur diagnostic : il s'agissait d'une forme atypique et sévère d'une maladie génétique extrêmement rare, la myosite ossifiante progressive ou maladie de l'homme de pierre, qui se caractérise par la fabrication de tissu osseux à l'intérieur même du muscle, dans les tendons et les ligaments. Les symptômes étaient la difficulté puis l'impossibilité à effectuer les gestes quotidiens et à avaler, la diminution douloureuse des muscles, la multiplication des hémorragies. Les facultés mentales n'étaient pas entamées mais les muscles cardiaques et respiratoires étaient susceptibles d'être atteints et de connaître une évolution létale. Des cancers étaient à craindre. Il n'y avait pas de cas de guérison connu mais la maladie était si rare qu'il était difficile d'établir un pronostic. La seule chose sûre, c'était que le traitement, cortisone, immunosuppresseurs et kinésithérapie, pouvait ralentir l'évolution fatale.

— En gros, avait suggéré Jean dans son allemand scolaire, tout son corps est en train de se transformer en squelette ?

— Je ne le dirais pas comme ça, avait répondu le médecin chargé de lui transmettre le diagnostic, et puis Jean cessa de se souvenir, car une dépêche AFP était apparue sur l'écran.

Décès accidentel du patron de la plus grande entreprise de sécurité française.

AFP. 8.30 13.7.2009

On vient d'apprendre le décès de Julien Dubien, le patron de la plus grande entreprise de sécurité française, la Défense Dubien, parvenue l'année dernière au sixième rang mondial derrière ses homologues américains. M. Dubien a été victime d'un malaise cardiaque au cours d'une séance de gymnastique, à la suite d'une erreur de dosage d'un médicament. Un porte-parole de sa société a écarté l'hypothèse du suicide et refusé de faire le lien avec le rachat en cours de Défense Dubien par la XXL, multinationale du même secteur. Si cet achat se confirmait, on assisterait à la création d'un nouveau géant de la sécurité, peut-être le premier au niveau mondial.

Kopa pensa qu'on était en train de faire le ménage. Après avoir mis de côté Rottheimer et la commissaire Tavianello, on liquidait Dubien. On bloquait ou on supprimait tous ceux qui pourraient permettre de remonter aux commanditaires. On ?

On frappait à la porte.

— Les voilà, annonça Giovanna en se relevant.
— Il était temps, répondit Roberto. Je commençais à en avoir marre d'attendre.

Domenico se redressa. D'une main, il se massa le dos en grimaçant et de l'autre, il fit un signe à l'adresse du véhicule en train de se garer sur la route quelques mètres en contrebas.

— Bon, fit-il, les médias, on a toujours raison d'en dire du mal mais quelquefois, on est content de les voir arriver.

Ricardo déchiffra le logo sur la portière qui venait de s'ouvrir, livrant passage à une jeune femme portant casquette et lunettes noires. Elle tenait une caméra à la main.

— « FR3 Limoges », c'est important, comme télé française, ça ? demanda le garçon.

— Une station locale, c'est comme RAI 3, répondit Giovanna.

— Aussi dépendante du pouvoir ? demanda Ricardo qui s'était beaucoup gauchisé depuis que l'Onde[1] avait déferlé sur son lycée.

La réponse resta en suspens car la jeune femme aux lunettes noires montait vers eux avec un grand sourire.

Marco Tavianello poussa un soupir agacé en voyant le lapin blanc perché sur un des pots de citronnier.

— Il va abîmer la plante, dit-il en passant la tête par la fenêtre du salon.

Sur la terrasse, Simona, dans son fauteuil, détourna à demi la tête pour répondre :

— Mais non, je le surveille.

Marco s'avança sur le seuil en s'essuyant les mains sur son tablier.

— Ça va pas ?

1. L'Onde est le nom du mouvement qui a touché tout le système éducatif, de la maternelle à l'université, en 2008, contre la réforme Gelmini, version italienne des multiples réformes néo-libérales imposées par l'Union européenne.

Simona haussa les épaules et reprit le livre posé sur ses genoux. Marco s'approcha par-derrière, commença à lui masser les épaules.

— C'est bien, ce bouquin ? s'enquit-il.

— Juste ce qu'il faut pour dormir les yeux ouverts, dit-elle en posant sur le carrelage le livre d'une actrice italienne connue, abonnée aux rôles de moyenne bourgeoise névrosée.

Marco inspira, s'apprêtant à dire que, depuis ce matin, elle n'avait fait que ça, regarder le vide, le chat ou le lapin, il inspira encore un peu parce que ça avait du mal à sortir et puis il expira. Et baissa les bras.

Gros-Noir était venu se frotter à sa cheville, et il n'eut même pas envie de lui donner un coup de pied car Simona avait souri en voyant le chat arriver.

— Tu veux un café ?

— Non, merci, mon chéri, tu me l'as déjà proposé il y a un quart d'heure… tiens, bonjour, Federico, dit-elle à l'adresse d'un échalas chevalin qui émergeait de l'escalier reliant la terrasse à la rue. Que me vaut le plaisir ?

— Eh bien, je suis venu te voir puisqu'il paraît que tu ne peux pas sortir de chez toi.

— Tu as trouvé quelqu'un pour me remplacer au pont Sublicio ?

— Ne t'inquiète pas pour ça. Maria est d'accord.

— Bon, du moment que tu n'envoies pas Piero qui veut apprendre aux chats à attendre chacun son tour…

— Thé ? Café ? proposa Marco.

On but le thé sur la terrasse, on parla de tout et de rien, surtout de rien, et Federico s'en fut après avoir violenté sa nature timide et embrassé Simona sur les deux joues. Après cette visite, la commissaire se sentit beaucoup mieux, d'autant que le président de l'Association de défense des animaux errants, au moment de partir, lui avait glissé entre les doigts un mail envoyé au site de l'Association d'amateurs de bêtes depuis un site d'amateurs de polars.

Simona consacra la demi-heure qui suivit à inspecter la terrasse, la façade de la maison qui donnait sur celle-ci et puis, à la jumelle, les environs. Quand elle fut sûre qu'aucune micro-caméra ou focale longue distance n'allait lire par-dessus son épaule, elle étala le papier sur la rambarde.

De *blackmailmag@tiscali.it*
À : *associazione.erranti@alice.it*
Oggetto : Veuillez faire suivre au commissaire Tavianello
   Chère Simona, ce mot pour t'aviser que le bureau national du syndicat s'est réuni en urgence hier soir pour parler de ton cas. Il y a eu unanimité pour te soutenir. Personne ne croit évidemment aux déclarations de ce repenti. Demain paraîtra dans la presse un communiqué de protestation et nous allons demander une audience au ministre et au président de la République. Nous considérons que cette affaire s'inscrit après d'autres dans des manœuvres obscures visant à déstabiliser la police nationale dans son combat contre la mafia.
   Tous les collègues se joignent à moi pour te dire leur solidarité.
   Ton ami : Ivo
   P.-S. : N'oublie pas de gratter de ma part sous le menton le chat noir que le labo t'a rendu, on se prend vite d'affection pour ces bestioles.

Stronza, se dit-elle, ce qui se traduit en français par « conne », féminisation du mot « con » dont le genre est aussi troublant que celui de bite. Et tandis que l'auteur pris de vertige songeait aussi que *cazzo,* « bite » en italien, est utilisé comme « merde » en français, ce dernier mot pouvant éventuellement se traduire par *stronzo,* « étron », Simona saisissait le chat noir qui avait appartenu à son ami Aldo et grâce auquel on avait identifié le tueur de Saturnia. Et quand elle lui eut gratté le menton, puis défait le collier dont, curieusement, le labo l'avait affublé avant de le lui rendre sans que cela lui mît la puce à l'oreille, quand elle eut trouvé enfin à l'intérieur dudit collier une micro-clé USB, Simona décida de débaptiser le chat Gros-Noir et de l'appeler désormais Eurêka.

La commissaire embrassa son mari penché au-dessus d'un *pesto alla genovese* en voie d'achèvement et juste avant de lui lécher le lobe, elle murmura dans le conduit :

— Je peux utiliser ton ordinateur ?

Marco Tavianello redressa vivement la tête et ouvrit la bouche pour demander si celui de sa femme était en panne puis, en voyant l'expression de Simona, il la ferma, acquiesça. Et sourit en la voyant s'éloigner vers l'escalier intérieur : les mouvements étaient redevenus vifs et, constata-t-il en baissant les yeux sur le fessier, les muscles toniques.

Simona déconnecta l'ordinateur de son mari et éteignit le boîtier wi-fi avant d'insérer la clé USB.

Une source proche de l'enquête vous concernant et qui veut rester anonyme tient à vous communiquer ce qui suit :

Avant l'attentat de Saturnia, un dossier avait été constitué concernant des poursuites pour extorsion, tentative d'assassinat et complicité d'assassinat contre Gioacchino Palomara, le 'ndranghetiste dont des vidéos permettent de détecter la présence aux thermes le jour de l'attentat. Dans ce dossier il existe une pièce, cote

PV 266-A, qui est un compte rendu d'écoute en date du 7 juillet 2009, G. Palomara ayant utilisé le téléphone d'un bar qui était sur écoute pour une tout autre affaire. Au moment du coup de fil, il était suivi mais il a réussi plus tard à échapper à la filature. Grâce à la technique de l'empreinte vocale, son interlocuteur a été identifié comme étant Piergiorgio Palomara, le deuxième repenti qui vous accuse.

Voici un extrait du compte rendu d'écoute :

Gioacchino Palomara : … cette opération, là, tu vois, elle me pue au nez…

Piergiorgio Palomara : — Calme-toi, ça va aller. T'auras rien à faire. Juste regarder et avertir.

G.P. : — Tu peux pas m'expliquer (incompréhensible)… *porca Madonna, tu peux pas m'en dire un tout petit peu plus sur cette opération Saturne ?*

P.P. : — Écoute, j'en sais rien, ça vient de haut, très haut. Mais on a les amis avec nous.

G.P. : — Les amis ? Les amis au tablier ?

(note : G.P. fait manifestement référence aux francs-maçons)

P.P. : — Ceux-là, je sais pas, mais les autres, quoi, les as de la négociation.

G. P. : — Je saisis toujours pas.

P.P. : — Putain, t'es trop con ! Les Services, quoi ! Je suis en contact avec un type de chez eux. Ils sont au courant de l'opération qui se prépare…

G.P. : — Ça me rassure pas plus.

P.P. : — Tu veux que je fasse dire à Claudio que t'as la trouille…

G.P. : — Non, non, arrête… j'ai pas dit ça… (à un autre interlocuteur) *une seconde, monsieur…*

P.P. : — *Eh, mais d'où t'appelles ? T'es pas dans une cabine ?*

G.P. : — *Non, je suis chez* [censuré]. *Y a pas de problème.*

P.P. : — *Putain, si, qu'il y a un problème. Rappelle-moi d'une cabine. À l'autre numéro.*

(fin de la communication)

Pour l'instant, il n'a pas été demandé officiellement copie de cette pièce pour la joindre au dossier Saturnia, et les personnes qui ont intérêt à entraver l'enquête ignorent donc jusqu'à présent son existence. Il semblerait opportun que votre avocat en demande communication, de manière à éviter qu'elle finisse par être repérée et qu'elle disparaisse.

Eh ben, pensa Simona avec un large sourire, grand merci, lieutenant Licata.

Au troisième étage de la tour Est, George Palo s'approcha de la fenêtre et jeta un coup d'œil au-dehors. Dans son dos, il sentit que Gerard Todos s'était approché et regardait aussi.

Devant l'entrée principale du château, maintenus au bas du perron par deux vigiles en costume-cravate et oreillette, une femme, deux hommes et un jeune garçon attendaient en bavardant entre eux, filmés par une femme à casquette, caméra à l'épaule.

— Qu'est-ce qu'ils croient ? ricana Palo. Je vais les faire virer.

Derrière lui, la voix grave de Gerard Todos grommela :

— Vous vous plantez complètement, mon petit George. Il faut les recevoir.

Palo se retourna, s'efforçant de soutenir sans ciller le regard des yeux gris presque dépourvus de cils. Les soixante-dix-huit ans de Todos n'étaient perceptibles qu'à quelques détails : un léger essoufflement, des tavelures sur le front et les mains — il avait toujours refusé tout soin esthétique. Sinon, le corps massif et le pli ironique de la lèvre étaient toujours aussi intimidants. Palo était quadragénaire et depuis seize ans qu'il connaissait le financier, chaque fois qu'il s'était trouvé confronté à lui, il avait dû surmonter une nervosité dont la récurrence lui procurait un agacement contre lui-même qui ne faisait que croître avec le temps.

— Et pourquoi ça ? demanda-t-il un ton plus haut qu'il n'aurait voulu. Pourquoi dois-je les recevoir ? insista-t-il en retrouvant la maîtrise de sa voix.

— Des victimes et une caméra. Un tel dispositif, de nos jours, personne ne peut y résister.

Palo reporta son regard vers la fenêtre et garda le silence.

— Vous n'avez rien à leur dire, insista Todos, mais il faut le leur dire.

George Palo pencha la tête sur le côté comme s'il voulait considérer son interlocuteur sous un autre angle. Deux secondes passèrent. Puis il s'inclina sur l'interphone vieux modèle au coin du vaste bureau d'acajou complètement nu.

— Laissez passer la délégation. Je vais les recevoir dans mon bureau. La journaliste reste dehors avec sa caméra.

— J'attends à côté, dit Todos et il sourit largement avant d'ajouter : Mettez la sono à fond, je deviens sourd en vieillissant.

Deux minutes plus tard, deux hommes, une femme

et un préadolescent entrèrent dans un bureau aux murs couverts de rayonnages de bois sombre, au plafond à caissons. Le type élégant aux longs cheveux noirs qui se leva derrière le bureau d'acajou leur sourit avec une parfaite cordialité en pensant « mocheté agressive » lorsque son regard croisa celui de Giovanna puis « c'est quoi ce merdeux arrogant » en voyant l'œil noir du gamin qui mâchait un chewing-gum et « des minus » en s'arrêtant une seconde sur chacun des deux mâles.

Palo contourna son bureau et s'avança pour leur serrer la main.

— Bonjour, dit-il en français, j'ai accepté de vous recevoir par respect pour votre douleur mais je ne vois pas...

En raison de sa maîtrise des langues étrangères, c'était Giovanna qui avait été désignée comme porte-parole mais c'est en italien qu'elle choisit bizarrement de l'interrompre :

— *Buongiorno, signor Palomara.*

George Palo s'immobilisa à mi-chemin du groupe.

— Pardon ? articula-t-il en français.

— Vous êtes bien Giorgio Palomara ? insista Giovanna en italien et dans la même langue, Domenico compléta :

— Giorgio, le neveu de Claudio Palomara, le boss de la 'ndrangheta condamné à trois peines de perpétuité mais qui commanderait toujours, d'après la presse, une des familles les plus dangereuses de Calabre ? Le cousin de Gioacchino Palomara, qui se trouvait sur les lieux de l'attentat de Saturnia ?

— Le cousin de Piergiorgio Palomara, membre du même clan, et qui vient de se repentir et accuse une commissaire de police de complicité ? relança Giovanna.

— Nous sommes venus vous demander de nous expliquer l'opération Saturne, ajouta Roberto.

Après qu'ils eurent, sur les indications reçues par téléphone, consulté le site de la Fondation de téléologie, Roberto avait posé la question aux membres du comité réunis sur la terrasse de Giovanna : à part l'allusion à Saturne, qui ne semblait quand même pas décisive, quel rapport entre les discours de ces écolos radicaux, la 'ndrangheta et l'attentat de Saturnia ? Mais ils avaient vite abandonné une question à laquelle ils ne trouvaient aucun début de réponse satisfaisante.

Pour cela, il leur aurait fallu remonter dans les lectures, vingt ans plus tôt, du dernier rejeton d'une famille calabraise vivant à Milan depuis quatre générations.

Le fondateur de la branche milanaise, Ernesto Palomara, avait quitté San Giovanni in Fiore, localité perchée à mille mètres dans la montagne de Sila en 1907, après la catastrophe de Monongah, Virginie-Occidentale, l'accident minier le plus grave jamais survenu aux États-Unis. Parmi les 956 morts se trouvaient en effet une majorité d'émigrés de San Giovanni, dont cinq des six frères d'Ernesto. Après le départ de celui-ci, son dernier frère vivant, Claudio, fut l'ultime représentant des Palomara au village. Et tandis que la branche milanaise faisait vivre à deux pas du Dôme un restaurant qui allait devenir pour beaucoup de Calabrais émigrés après la Seconde Guerre mondiale un des uniques lieux accueillants pour eux dans le centre-ville, la branche des Palomara de San Giovanni s'imposait peu à peu dans l'économie souterraine. En 1946, Claudio, fils aîné de Claudio, prenait la succession du père mort dans son lit, la lignée des Claudio se poursuivant avec un troisième qui remplaça son père fauché par une rafale de kalachnikov en 1975.

Les tunnels que les Palomara de San Giovanni creusaient sous la société officielle étaient aussi explosifs et mortels que ceux de Monongah, mais ils rapportaient bien davantage. Ils étaient d'ailleurs, avec d'autres de leurs semblables, l'unique ressource disponible pour les jeunes qui ne voulaient pas finir dans la peau d'un berger.

Et tandis qu'à mille mètres au-dessus de deux mers, cernés de paysages sublimes, ses cousins s'efforçaient d'échapper au sort du pasteur condamné par la décomposition de l'économie montagnarde à se branler dans les pâturages pour le restant de ses jours, à Milan le jeune Giorgio Palomara s'adonnait à une pratique solitaire considérée par sa famille comme au moins aussi néfaste que la masturbation : il lisait.

Pour comprendre l'histoire des siens, il lut très tôt des livres de magistrats qui avaient combattu la mafia sicilienne (on parlait alors très peu de la 'ndrangheta calabraise) et il garda longtemps dans son portefeuille, plié en quatre, un passage recopié :

En cavale depuis plus de dix ans, nous l'avions arrêté la veille dans une maison de campagne de Bagheria. Dans son repaire, nous avions trouvé une chapelle privée et nous étions parvenus à le capturer en suivant un religieux qui allait lui dire la messe à domicile. Je pensais qu'il pouvait être disposé à collaborer avec la Justice, mais le boss m'avait pétrifié :

« *Vous voyez,* dottore, *quand vous venez dans nos écoles* » — il dit précisément ces mots, « *nos écoles* » —, « *pour parler de légalité, de justice, de respect des règles, de vivre ensemble civilisés, nos jeunes vous écoutent et vous suivent. Mais quand ces jeunes deviennent majeurs et cherchent un travail, une maison, une assistance économique et sanitaire, chez qui ils les trouvent ? Chez vous ou chez nous ?* Dottore, *ils les trouvent chez nous. Et seulement chez nous. Vous êtes sicilien et vous savez bien que c'est ainsi. Pourquoi je collaborerais, alors ? Juste pour vous faire arrêter quelques dizaines de pères de famille, pour vous faire dénicher quelques pistolets rouillés ? Qu'est-ce que ça pourrait changer si je vous disais ce que vous voulez savoir de moi ?* » Aucune analyse sur le phénomène mafieux ne peut se passer de cette vérité : « leurs » écoles et « leurs » jeunes d'un côté, la présence non compétitive de l'État, de l'autre.

Une fois par an Giorgio retournait pour quelques semaines de vacances dans cette ville que les Français appelaient Saint-Jean des Fleurs, auprès de l'oncle Claudio, petit-fils du frère d'Eugenio, l'ancêtre émigré à Milan : les deux branches de la famille n'avaient jamais perdu le contact. Giorgio n'avait jamais voulu s'intéresser aux activités illicites de ses lointains cousins et ils ne le lui avaient jamais proposé mais ils l'emmenaient chasser et camper sur les hauteurs.

Pendant des jours, pris peu à peu d'une espèce d'ivresse qui les éveillait la nuit pour repartir dans la montagne avec des armes munies de lunettes de visée nocturne, ils tuaient des chevreuils, des daims, des cerfs, des sangliers, des lièvres mais aussi des vautours, des éperviers, des milans royaux, des belettes, des martres, des blaireaux et des marmottes et encore des pics rouges ou noirs, des grands ducs et, près des lacs, des hérons et des grues et des grèbes huppés et même, deux fois, on tua le loup. Le tout sans prendre garde aux réglementations sur les munitions, les périodes de chasse ou les espèces protégées. Les bêtes étaient entassées dans le camp de base sur les pentes du mont Botte Donato, en attendant d'être écorchées, dépecées, rôties, brûlées ou enterrées.

Un soir qu'il ne parvenait pas à dormir, malgré les quantités d'alcool ingurgitées au dîner, le jeune Giorgio Palomara était sorti regarder les étoiles tomber.

Dans son dos un amas de venaison diffusait une odeur puissante. Soudain il lui sembla entendre une espèce de sanglot enfantin et il bondit sur ses pieds. En approchant du tas de bêtes, il vit qu'un daim, sous l'amoncellement d'autres chairs, respirait encore et, croisant son regard, il fut sûr que la bête pleurait. L'animal mit plusieurs minutes à mourir et quand son regard se voila, et que la pupille disparut lentement sous la paupière, Giorgio retourna dans la tente et s'étendit sur son sac de couchage, mains derrière la tête, fixant le noir. Le lendemain, il demanda à rentrer.

De retour à Milan, il lut des ouvrages sur la biodiversité. Dans ses explorations tout-terrain de la chose écrite, il était tombé sur des régions politisées, aidé en cela par la fréquentation sporadique du Centre social occupé Leoncavallo, énorme entrepôt où rougeoyaient encore quelques braises de l'incendie social qui avait balayé l'Italie dans les années 1970. Mais la rhétorique politique l'emmerdait. Les écologistes dans leur version la plus radicale l'intéressaient davantage.

Tandis que la 'ndrangheta entrait dans la mondialisation en utilisant les bénéfices de l'industrie des enlèvements pour investir dans le trafic d'armes, de drogue et de clandestins et devenir l'interlocuteur privilégié des cartels colombiens, tandis que ses cousins grimpaient dans la hiérarchie criminelle, Giorgio Palomara écrivait dans des revues critiquant la mondialisation et passait très jeune un doctorat en économie.

Son intérêt pour le destin de la planète rencontra celui qu'il éprouvait pour le penseur qui avait fondé le village de sa famille, Joachim de Flore, grande figure de la chrétienté. Inspirateur de mouvements millénaristes, penseur pour qui l'histoire n'était ni linéaire ni circulaire, Joachim décrivait une troisième période du monde qui, selon l'interprétation de Giorgio, avait commencé à la fin du Moyen Âge, avec le développement de la banque dans les républiques maritimes. L'originalité des théories de Giorgio Palomara, qui mêlait doctrines hérétiques médiévales et calculs macroéconomiques, attira l'attention de Gerard Todos et, en 1993, le vieux financier philanthrope contacta le jeune intellectuel calabrais.

Voilà pourquoi, seize ans plus tard, il devait se confronter à deux hommes, une femme et un adolescent qui lui demandaient de leur expliquer l'opération Saturne.

— Je n'ai aucune idée de ce que vous entendez par « opération » Saturne, dit calmement George Palo en anglais. Dans les écrits de la fondation, nous faisions appel à un « nouvel âge de Saturne ». C'est une métaphore du capitalisme qui dévore ses enfants, voilà tout. Mais ce sont des choses tout à fait dépassées, que nous conservons à titre historique. L'anticapitalisme n'est plus depuis longtemps la position officielle de la fondation. Quant à mon identité italienne, j'en ai effectivement changé, comme me le permet la loi américaine, quand je suis devenu citoyen des États-Unis. Je ne cache pas mes origines mais je ne tiens pas à les mettre en avant. Je sais qu'une branche très éloignée de ma famille a compromis le nom que je porte dans des activités criminelles mais je ne peux pas en être tenu pour responsable. Je ne vois absolument pas en quoi l'attentat de Saturnia pourrait avoir un rapport avec les activités de la Fondation.

— Est-ce que l'attentat pourrait avoir un rapport avec vos activités en tant que collaborateur de M. Todos ? s'enquit Giovanna en italien.

— En particulier, rajouta Roberto dans la même langue, avec la crise des *subprimes* que les manœuvres de votre *hedge fund,* Tantum, sur les marchés mondiaux ont contribué à déclencher, selon la presse internationale ?

Sans se départir du léger sourire ironique arboré depuis le début de la conversation, George Palo secoua la tête. Ils commencent à me courir, pensa-t-il en français, car il mettait un point d'honneur à penser dans la langue du pays. Puis il jeta un regard noir au gamin en s'apercevant qu'il mâchait toujours son chewing-gum mais ne dit rien. Domenico revint à la charge, toujours en italien :

— Est-ce qu'en déclenchant la crise du système financier mondial vous n'étiez pas en fait en train d'accomplir ce projet de la Fondation de téléologie ? demanda-t-il en sortant un papier de sa poche, qu'il lut : « *pousser au paroxysme un système qui se nourrit* *de ce qu'il engendre, qui s'autocannibalise, **comme Saturne dévorant ses enfants...** »*

— Comme si à nous seuls, nous avions déclenché la crise ! s'exclama George en français.

— Vous y avez largement contribué, selon la presse spécialisée, rétorqua Roberto qui comprenait parfaitement la langue de Frédérique.

Palo haussa un sourcil, joignit les mains devant sa bouche.

— Vous croyez les journaux, vous ? répliqua-t-il, toujours en français.

— Vous croyez vraiment, insista encore Giovanna en italien, qu'il ne peut pas y avoir un lien entre l'attentat de Saturnia et les pertes que des investisseurs anonymes ont subies ? Nous avons lu plusieurs articles donnant à penser que les grandes mafias recyclent leur argent dans des grandes banques d'affaires, comme celles qui se sont retrouvées du mauvais côté, dans la crise des *subprimes.*

— Du côté de ceux que votre patron a appelés des *gens assez bêtes pour être en face de mes transactions,* précisa Roberto en sortant un tirage papier d'un article du *Financial Times.* Est-ce qu'une de ces mafias pourrait s'être sentie insultée... vous savez, ces gens ont un sens de l'honneur très particulier... une ou plusieurs de ces mafias pourraient avoir été mécontentes d'avoir perdu leur argent au point...

George Palo se leva, s'appuyant au bureau du bout des doigts.

— *Basta ! Basta cosi !* Vos insinuations sont insultantes, dit-il en revenant au français. Je vous ai reçus par égard...

—... *per il nostro dolore,* acheva Ricardo qui avait

de bonnes notes en cours de langue et comprenait lui aussi celle de la princesse de Clèves.

George Palo dédaigna de le regarder autrement que du coin de l'œil. Au moins le petit con ne mâchait plus.

— Je vous ai dit tout ce que j'avais à vous dire. Je n'ai pas de temps à perdre avec des insinuations calomnieuses. On va vous raccompagner, annonça-t-il tandis que la porte s'ouvrait sur les deux gaillards à oreillette.

Quand les visiteurs furent sortis, Todos se matérialisa presque aussitôt dans la pièce.

— J'ai tout suivi sur l'écran. Ce gosse s'est débarrassé de son chewing-gum sous son siège. Ils sont mal élevés, les gamins de chez vous.

— Ce n'est plus chez moi.

Todos fit le geste de chasser une mouche.

— Peu importe, j'ai pris ma décision. On va arrêter les frais. On va raquer.

— On va les payer ?

Les paupières aux cils rares se plissèrent, le regard gris s'attacha aux traits interloqués de Giorgio.

— On va les payer. Je me suis renseigné. Le coup de Saturnia vient bien des Partenaires Associés. Ils ont pris toutes les précautions pour brouiller les pistes, la revendication al-Qaida, la sous-traitance à des spécialistes français, la protection des services italiens et la touche finale, ça a été d'obliger votre famille…

— Mon ex-famille ! Vous savez parfaitement que j'ai accepté de travailler pour vous entre autres pour ne plus avoir de liens avec eux.

Todos eut un rire sans joie.

— D'accord, votre ex-famille. En tout cas, les Palomara ont obtenu de ne pas être exterminés jusqu'au dernier par les familles gagnantes de la 'ndrangheta en échange de leur participation à ce coup, et les voilà coincés sans pouvoir rien dire dans le rôle des coupables qui arrangent tout le monde. Mais les commanditaires sont bien ceux que nous avons devinés. Des gens qui avaient recyclé leur argent dans des banques censées être sérieuses, et qui ont joué au jeu idiot des *subprimes*. Les retraités qu'on a virés de leurs maisons sont moins dangereux que ces gens-là. Ces gens nous ont envoyé un message. Et le message est clair : « payez ». « Payez sinon nous continuerons sur la voie des attentats et si le scandale éclate, ce sera à vos dépens. » Le chiffre de trois victimes...

— Ils ont arrondi la somme ! lança George Palo d'une voix étranglée.

Todos haussa les épaules.

— C'est de bonne guerre.

— C'est de l'extorsion à l'échelle planétaire !

— Allons, allons, dit Todos, n'oubliez pas que toute la combine des *subprimes,* depuis le début, était criminelle. Au départ, comme disaient vos copains marxistes, il s'agissait, je cite, d'« acheter la paix sociale sans augmenter les salaires en refilant aux pauvres l'illusion de la propriété et en les rendant esclaves d'un crédit », c'est pas faux, non ? Et ensuite, tout le monde a utilisé ces titres pourris en sachant que ce n'était que du vent, pour faire enfler la bulle et se servir au passage. Nous compris. Mais le plus grave, en ce qui vous concerne...

Todos marqua une pause. Le regard gris avait viré

au noir. George Palo tenta d'attendre mais au bout de trois secondes de silence, il n'y tint plus :

— … en ce qui me concerne ?

— C'est qu'ils ont décidé de croire à vos discours. De prendre au sérieux la prose de la Fondation de téléologie. Ils pensent que vous l'avez fait exprès. Ils pensent que vos spéculations hasardeuses étaient intentionnelles, et que vous vouliez vraiment… Comment c'est, déjà, la citation du texte de la Fondation que la délégation des victimes vous a sortie tout à l'heure ? « Pousser au paroxysme un système qui se nourrit de ce qu'il engendre, qui s'autocannibalise » ? Ils croient maintenant que ce n'était pas juste un rideau de fumée, que vous cherchez vraiment la ruine du système.

George Palo soupira, croisa les bras, baissa la tête, contempla la pointe de ses mocassins fabriqués sur mesure à Londres.

— Et vous, c'est ce que vous croyez aussi ? demanda-t-il d'une voix changée, plus ferme.

Les lourdes paupières presque sans cils battirent.

— Je ne sais pas, articula Todos.

— Mais si je l'avais voulu vraiment… Ce n'est pas ce que vous souhaitez aussi, au fond ? Vous m'avez dit bien des fois que vous assisteriez volontiers en rigolant à l'effondrement de tout ce système qui conduit la planète à sa perte.

— Oui, j'ai dit ça…, articula Todos, la mine maussade. J'ai dit ça…

Il y eut un moment de flottement pendant lequel leurs corps semblèrent chercher un centre de gravité, les pieds tâtant le sol, les bras se croisant et se décroisant, puis Todos dit en jetant un coup d'œil à sa montre :

— Nous reparlerons de ça. Pour l'instant, il faut régler cette affaire au plus vite. C'est pour cela que je suis venu en France. Je vais repartir avec l'hélico mais vous, vous allez prendre le train. En gare de Limoges. À 17 h 20. J'ai là, à côté, une valise qui contient ce qu'ils demandent. En bons du Trésor américains. Vous allez l'emporter. Quelqu'un va prendre contact avec vous un peu avant l'arrêt de Châteauroux et vous dira « je suis l'ami de Valerio ». Vous lui donnerez la valise. Rendez-vous au siège de New York dans deux jours, nous ferons le point avant la réunion du CA.

Au fur et à mesure qu'il parlait, il avait repris ce ton sans réplique avec lequel il gouvernait son empire. Et George ne répliqua rien.

— Un dernier détail : l'erreur, c'est vous qui l'avez commise. Vous auriez dû liquider la Fondation de téléologie depuis longtemps. Quels que soient vos vrais desseins, c'était idiot de les rendre publics. Donc la somme réclamée par les Partenaires a été prélevée sur vos avoirs. Enfin, prélevée... Disons plutôt que vos avoirs ont été liquidés pour l'approvisionner, et j'ai dû entamer mes propres réserves. Il vous faudra du temps et beaucoup de génie financier pour me rembourser. À moins que, d'ici là, le capitalisme ne s'effondre, bien sûr.

— Il a ricané ou il l'a dit sérieusement ? La dernière phrase, je veux dire ? demanda Domenico quand ils eurent écouté pour la troisième fois l'enregistrement.

— Peu importe, dit Giovanna.

Ils étaient un peu serrés dans la voiture siglée FR3

Limoges, elle en ressentait une sensation de claustrophobie qui donnait à sa voix une brisure que Roberto, dont les hormones étaient décidément infatigables, trouva sexy.

— Putain, dit Domenico donnant une affectueuse calotte sur le crâne de son fils, j'aurais jamais cru que ça marche.

— Et pourtant, ça a marché. Grâce à votre Rottheimer, qui connaît les bons fournisseurs en matériel d'écoute. J'aimerais bien le rencontrer, ce type. J'ai vu des photos de lui, à propos d'une affaire ancienne, quand il était encore flic. J'aime bien ce genre de type, massif, un peu gros.

L'aveu provenait de la camerawoman de FR3 Limoges qui avait accepté d'emprunter un véhicule à sa station et de se faire passer pour une journaliste pour faire plaisir à ce collègue italien rencontré deux mois plus tôt, lors d'un reportage de la chaîne italienne sur l'affaire de Tarnac.

Ricardo gloussa.

— Rottheimer est très gros et c'est *una checca,* dit-il.

— Une tantouse, dit Giovanna au dos de la cadreuse qui avait lancé dans le rétro un coup d'œil interrogateur puis elle se tourna vers le garçon à ses côtés : et moi je suis une gouine, si tu veux savoir, petit con.

— Beurk, fit Ricardo, mais il avait rougi.

— Bon, intervint Roberto, à la place du mort, on a le choix, ou bien on entame un débat sur l'homophobie ou bien on décide ce qu'on fait, sachant ce qu'on sait. On appelle Rottheimer ?

— Allons-y, dit Domenico. Tu me passes ton portable, Ricardo ?

— Attends, je vais lui raconter, dit le garçon en composant le numéro. Je te le passe après… Rottheimer ? Ça a marché, c'était génial votre truc ! Bon, c'était chiant d'avoir ce micro dans la bouche, surtout tout en mâchant un chewing-gum, c'est pas évident et puis j'ai eu peur de l'avaler mais bon, j'ai réussi à tout bien faire, j'ai avalé le chewing-gum et j'ai collé le micro sous mon fauteuil, il n'y a vu que du feu… oui, bon…

Il avait parlé en s'excitant de plus en plus sous l'œil de son père songeant qu'il y avait bien plusieurs années qu'il ne l'avait pas entendu aligner tant de phrases d'un coup mais l'autre, manifestement, venait de demander à parler à un adulte. Ricardo tendit son appareil à son père d'un air maussade.

Domenico raconta la conversation entre Todos et Palo.

— Tout est enregistré ?

— Oui, un enregistrement d'excellente qualité. Qu'est-ce qu'on fait maintenant, on va chez les flics, ici, à Limoges ? Si on veut le faire arrêter dans le train…

— Gardonni, on en a déjà parlé. Si vous croyez que la police française est moins corrompue et moins manipulée que l'italienne, vous vous trompez. Il faut qu'on ait des preuves écrasantes pour que l'affaire ne soit pas enterrée. Il y a trop de gens puissants impliqués, nous ne savons pas encore à quel degré de puissance. Plus nous aurons de munitions, plus nous aurons de chances d'atteindre la vérité et la justice. L'enregistrement c'est pas mal, mais si on avait la mallette en plus… Il suffirait que quelqu'un qu'il n'a pas vu se présente à lui avec le mot de passe, avant la personne qui doit prendre livraison de la mallette, et il la lui remettrait. Quelqu'un qu'il n'a pas vu, et quelqu'un de confiance. Dites-moi, votre amie, là, de FR3, elle n'est pas entrée dans le bureau avec vous ?

— Non. Vous avez raison, il ne l'a pas vue. Je comprends ce que vous voudriez qu'on fasse. Mais je ne sais pas si je peux impliquer davantage mon amie, je lui ai déjà beaucoup demandé…

— Quoi ? quoi ? intervint la camerawoman, on cause de moi ?

— Attendez, je vais lui demander, annonça Domenico en mettant la main devant le portable.

Quand il eut expliqué ce que l'autre suggérait, la femme retira sa casquette et une chevelure rousse tomba sur ses épaules comme un rideau cramoisi.

— Au fait, dit-elle aux autres, Domenico ne m'a pas présentée, je m'appelle Georgette. Puis elle hocha vigoureusement la tête.

— D'ac, pas de problème, j'ai pris ma journée. Je vais faire ça. Allons prendre le Limoges-Paris de 17 h 20.

Domenico reprit l'appareil :

— Ça marche. On y va. D'accord, on vous rappelle. Il coupa la communication.

— On en est où ? demanda Giovanna.

Domenico expliqua.

— Mais tu peux encore changer d'avis, dit-il à l'adresse de Georgette. J'ai des scrupules…

— Oh, pas de scrupule, le coupa-t-elle.

Et avec un regard brûlant vers Domenico, elle ajouta :

— Avec toi, j'irais n'importe où.

C'était dit sur le ton de la plaisanterie, mais elle

n'avait pu s'empêcher de laisser passer suffisamment de sincérité pour que Roberto, comme elle passait une vitesse, s'écrie :

— Ouah ! C'est pas une voiture, c'est une cocotte-minute !

Tandis qu'ils s'éloignaient du faux château sur sa vraie colline, la cadreuse se racla la gorge avant d'annoncer :

— Je connais un raccourci. On arrivera largement en avance.

— Et voici nos héros en route vers de nouvelles et palpitantes aventures, dit Giovanna.

Elle marqua une pause puis :

— On dirait pas qu'on vient de perdre des personnes qu'on aime, ajouta-t-elle avant de fondre en larmes tout en se traitant de petite chose geignarde.

Il y eut un long silence juste peuplé des sanglots réprimés de Giovanna. Ensuite Ricardo hurla que c'était pas possible, que ces salauds avaient tué sa mère, que sa sœur était dans le coma, qu'ils allaient payer, qu'il fallait se venger, Domenico lui dit arrête avec ces histoires de vengeance, on est pas là pour ça, on est pas des mafieux, on veut juste la justice et la vérité et Giovanna dit oh fous-lui la paix à ce gamin c'est ta faute pourquoi tu as accepté qu'il vienne avec nous et Georgette arrêta la voiture sur le bord de la route, on versa des torrents de larmes, on se serra dans les bras, Roberto observa à voix haute que ça ressemblait à une séance des alcooliques anonymes dans un film américain et l'on repartit, calmés.

On roula bientôt sur une route étroite, à travers d'épaisses forêts où les feuillus alternaient avec des étendues de funèbres conifères alignés au cordeau, on longea un lac et des prairies, on traversa des villages isolés, et l'on s'arrêta devant un café-épicerie pour boire un verre, on avait tout le temps, assura Georgette. Un jeune homme odieux vint prendre la commande, une jeune fille charmante vint la servir et puis quand on repartit, Georgette dit qu'à présent, quoi qu'il arrive, il serait impossible de les faire disparaître comme s'ils n'avaient jamais existé. En effet, le service antiterroriste français ne pourrait pas nier leur passage sur le plateau de Millevaches, puisqu'ils venaient de marquer une halte dans l'épicerie la plus célèbre de France, très certainement surveillée par une demi-douzaine de caméras. En voyant, au sortir du village, le panneau « Tarnac », Domenico comprit ce qu'elle voulait dire et prit la peine de l'expliquer aux autres.

— Mais pourquoi tu crois qu'on voudrait nous faire tous disparaître ? demanda Roberto un peu plus tard. Tu crois vraiment qu'on dérange des gens si puissants que…

— Oh non, coupa Georgette en lui jetant un coup d'œil dans le rétro, non, je plaisantais.

— Attention, dit Giovanna car ils étaient en train de doubler un poids lourd et un autre arrivait en face.

Mais il était encore loin.

Sous le dôme, dans cette gare de Limoges qui ressemble à une basilique et d'où l'Occitanie entière partit pour la guerre de 14 en chantant. *La Coupo santo,* les représentants de Justice et Vérité pour Saturnia repérèrent Giorgio Palomara au moment où il prenait l'escalier mécanique descendant vers les quais, une mallette à la main. Georgette alla surveiller sa montée en première classe et ils prirent leurs billets en seconde.

Quand le train démarra, ils étaient installés dans des sièges face à face, une tablette entre eux. Georgette se pencha en avant :

— On arrive à Châteauroux à 18 h 10. À votre avis, je dois y aller à quelle heure ?

On se consulta à mi-voix, on calcula et on trancha pour 17 h 45. Il ne fallait pas que ce soit trop tôt, pour ne pas éveiller les soupçons de Palomara et pas trop tard, pour ne pas arriver après le messager des commanditaires de l'attentat de Saturnia, ceux que Todos appelle les Partenaires Associés.

— Mais on ne ferait pas mieux de laisser la transaction se faire et de suivre le messager ? suggéra Georgette à 17 h 10.

— Tu te sens de filer un truand, un agent secret, je ne sais pas quoi, un spécialiste en tout cas, alors que nous… ? demanda Domenico. Moi pas. Ces trucs à la 007, ça n'est pas mon monde.

— Ni celui d'aucun d'entre nous, dit Roberto. Déjà, je me demande comment on a pu se laisser convaincre d'aller jusque-là.

— Bon, n'insistez pas, vous allez finir par me flanquer la frousse, dit Georgette en commençant à se ronger un ongle et il y eut un silence de plus en plus tendu, jusqu'à ce qu'elle ajoute, trente-quatre minutes plus tard : Je me sens pas. Je regrette, je me sens pas d'y aller.

— *Porca troia,* s'exclama Giovanna. J'en étais sûre !

— C'est peut-être mieux comme ça, soupira Roberto. Je le sens pas, ce truc, moi non plus, je le sens pas. On est pas faits pour ça.

Domenico avait blêmi mais il dit à Georgette :

— Ne le fais pas. Si tu te sens pas, faut pas le faire. Oui, c'est peut-être mieux... où tu vas ? lança-t-il à son fils qui se levait.

Ricardo haussa les épaules, une moue de répugnance plissant ses jolies lèvres.

— Pisser. Je dois te demander la permission pour aller pisser ? Peut-être bien que je vais dégueuler aussi, ajouta-t-il en s'éloignant.

— Qu'est-ce qu'il y a, t'es pas contente ? demanda Marco Tavianello à sa femme tout en esquissant une caresse maladroite sur le crâne du chat Eurêka.

Malgré tous ses efforts pour le repousser, la bête s'était prise d'affection pour le mari de la commissaire et il commençait à trouver qu'au fond, ce n'était pas si désagréable, d'avoir un chat sur les genoux.

Au fond de sa chaise longue, Simona cessa de gratter le dos du lapin dans son giron et l'animal secoua les oreilles, agita les pattes arrière. Elle reprit le grattage et il se calma instantanément. La domestication du couple était en bonne voie.

— Pourquoi tu dis ça ?

— Allez, railla Marco, je te connais. Je vois bien la tête que tu fais. Pourtant, maintenant qu'Albertino a obtenu que le juge demande communication du compte rendu d'écoute, la manœuvre des services contre toi va faire long feu. Ça va être à eux d'expliquer si oui ou non ils étaient au courant de ce qui se préparait, comme le dit Piergiorgio Palomara dans les écoutes. Et si oui, pourquoi ils n'ont pas tout fait pour l'empêcher. Et ce Piergiorgio, ses accusations contre toi sont maintenant complètement décrédibi-

lisées. Le syndicat et la plupart des journaux te soutiennent. Il y a juste les deux feuilles les plus proches
du Premier ministre qui ne disent rien parce qu'elles
attendent la consigne… Qu'est-ce que tu voudrais de
plus ?

Simona lâcha le lapin qu'une envie pressante de
galoper sur la terrasse venait de saisir.

— Avoir eu raison. J'aurais voulu avoir eu raison
de penser que la 'ndrangheta n'est pour rien dans
l'affaire. Et apparemment si. Les Palomara ne sont
sans doute qu'un pion. Mais il n'y a que les gens de
leur espèce qui peuvent les obliger à faire quoi que
ce soit. Les familles calabraises gagnantes sont sûrement dans le coup… Oh, pas seulement elles, bien
sûr. Si ça n'avait été qu'une affaire de mafia, ils
n'auraient pas fait appel à un spécialiste français.
Nous avons affaire à une association de puissances
diverses, services, mafias, firmes internationales, qui
sait… En tout cas, je doute qu'on arrive jamais à connaître la vérité sur ce qui s'est passé. Et à rendre justice aux victimes.

Marco posa le chat à terre, se pencha de côté, le
buste à moitié hors de sa chaise longue, pour prendre
la main de sa femme. Du bout de ses doigts de guita-
riste, il lui caressa la paume.

— Déjà, toi, on va te rendre justice, c'est quelque
chose, non ?

— Oui, bien sûr, c'est quelque chose. Mais ces trois
femmes mortes juste parce qu'elles avaient envie de
se baigner dans des eaux soufrées…

Marco lâcha la main et se leva.

— On ne peut rien pour elles, dit-il d'une voix
dure. Est-ce qu'on a pu quelque chose pour les morts

de la piazza Fontana, du train Italicus, de la gare de Bologne, des attentats de 93 ? Est-ce qu'on sait la vérité sur tous ces massacres ? Est-ce qu'on sait qui était vraiment derrière ? Et ça n'est pas réservé à l'Italie, tu sais bien. En Algérie, par exemple, est-ce qu'on saura jamais qui était vraiment derrière la liquidation de villages entiers attribuée aux islamistes ? Et en France, les attentats du GIA, je me suis laissé dire qu'il y avait peut-être bien un État ami de la France derrière, et tous les meurtres politiques qu'il y a eu dans ce pays à la fin des années 1970, les Français qui nous font toujours la leçon avec leur État soi-disant plus efficace que le nôtre, ils n'ont pas eu un ministre noyé dans trente centimètres d'eau et un militant tiers-mondiste tué sous les yeux de leurs services secrets, sans qu'on mette jamais la main sur les coupables ? Pourquoi est-ce que tu crois que j'ai quitté la police ?

Simona ne répondit rien. Il rentra et, bientôt, elle l'entendit remuer des casseroles.

Est-ce qu'il avait jamais cru à ce qu'il racontait ? À l'entrée dans *l'âge de l'esprit* annoncé par Joachim de Flore, à la Conscience du But proclamée par la Fondation de téléologie : la fin des faux besoins, de la dictature des technosciences, d'une civilisation basée sur la croissance indéfinie dans un monde fini ? Avait-il vraiment cru au retour de l'âge d'or, de l'âge de Saturne, de ce temps où, selon Ovide et Virgile, « aucun homme n'était au service d'un autre ; personne ne possédait rien en propre ; toutes choses étaient communes, comme si tous n'eussent eu qu'un même héritage » ? Est-ce qu'il avait cru possible de

246

parvenir à une telle société égalitaire qui seule garantirait contre le danger qu'un jour l'avidité de quelques-uns nous conduise tous à la ruine, et la terre avec nous ?

Bien sûr qu'il y avait cru. Quand il écrivait dans des revues, à Milan, quand il fréquentait Leoncavallo et même après, quand Todos l'avait appelé pour le mettre à la tête de ses fondations et de ses associations qui, de par le monde, défendaient l'agriculture biologique ou luttaient contre la désertification. Et après encore, quand Todos l'avait emmené avec lui des bureaux de Wall Street aux gratte-ciel de Shanghai pour voir comment ça marchait, le monde ; quand le financier lui avait fait percevoir dans le bruissement continu des milliards de dollars circulant dans le ciel électronique de la planète, le vrai fond de l'air du temps ; quand ils avaient dîné à la table des véritables maîtres du monde, ceux dont les noms n'apparaissaient que dans des organigrammes difficiles à se procurer ; quand le vieil émigré d'Europe centrale devenu magnat redouté l'avait patiemment introduit dans les subtilités des calculs élaborés par des mathématiciens et perfectionnés par sa propre connaissance de la psychologie des traders, de la chimie du cerveau et des fluctuations de l'approvisionnement des hautes sphères en cocaïne, quand il avait accompli tout cela, George Palo s'était d'abord vu comme un espion dans la place repérant les points faibles à miner.

Et puis du temps avait passé.

Et maintenant, non content de ne plus croire à ces contes enfantins, il regrettait d'avoir quitté son nom. D'avoir renoncé à être Giorgio Palomara, lui qui aurait pu aider sa famille de Saint-Jean des Fleurs à garder le pouvoir dans la 'ndrangheta, plutôt que d'en être réduite à jouer les boucs émissaires dans l'inévitable comédie de la police qui arrête des clampins et de la justice qui passe à autre chose.

Giorgio revit l'amas des cadavres d'animaux sur les pentes du mont Botte Donato. C'étaient ses cousins qui avaient raison, après tout l'épervier bouffait bien la marmotte et le chevreuil mâle en rut poussait volontiers son concurrent dans l'abîme, la nature n'était pas morale et rien ne justifiait qu'on épargnât l'écureuil noir. Que toutes les espèces s'éteignent, qu'est-ce que vous voulez que ça me fasse, à moi, qui ne vais pas tarder à mourir ?

Ses mains caressèrent la mallette posée sur ses genoux. Le train étant à moitié vide, il s'était installé à une place isolée contre la fenêtre, avec en vis-à-vis un siège resté inoccupé sous lequel il allongea les jambes. Ses yeux se fermèrent mais presque aussitôt un grand bruit le fit violemment sursauter. Ce n'était que le chariot de la restauration ambulante qu'avait annoncé le haut-parleur, boissons chaudes boissons froides chèques friandises snack cartes de crédit chèques restaurant formule sandwichs. L'employé qui poussait la lourde chose odorant le café bouilli lui lança une plaisanterie qu'il ne comprit pas, son français se dérobait, il se sentait si vulnérable soudain… Au fond cette histoire de Gaïa, la terre mère, qu'est-ce que c'était d'autre que la recherche désespérée d'une protection, et pareil pour son enrôlement corps et âme au service d'un père spirituel comme Todos ; entre le financier et la planète, qu'est-ce qu'il avait fait d'autre, sa vie durant, que de chercher un papa et une maman de remplacement, des géniteurs qui le protègent mieux que ses parents biologiques voués bien plus à leurs fourneaux qu'à leur progéniture, qu'est-ce qu'il avait cherché d'autre qu'une protection qu'il eût pu avoir sans mal à Saint-Jean des Fleurs, c'était ça au fond qu'il avait toujours cherché, *una famiglia,* et en la cherchant, il avait renié la seule famille réelle à laquelle il aurait pu aspirer, celle des cousins Palomara avec leurs armes foudroyantes et leurs petits yeux malins.

Cazzo, non ci credo : « putain, j'y crois pas », la phrase surgit dans sa tête avec l'accent calabrais. En face de lui, avait pris place le gamin mâcheur de chewing-gum venu tout à l'heure avec trois adultes le débusquer dans son bureau. Le garçon lui sourit et lui dit, il n'en croyait pas ses oreilles mais oui, c'était lui, fils d'une victime de Saturnia qui lui disait : « Je suis l'ami de Valerio. »

Et puis sa stupéfaction se dissipa aussitôt, il se dit que c'était logique, qu'« ils » avaient forcément placé des gens à eux dans le comité Saturnia Vérité et Justice. Qu'un coup si tordu ne pouvait être que vrai. Ça portait la signature des Partenaires Associés. Il tendit la mallette au garçon.

Dix minutes plus tard, le signal d'alarme ayant été tiré, le train Téoz 03660 à destination de Paris s'arrêtait en rase campagne sur la commune de Luant, à une douzaine de kilomètres de Châteauroux et la SNCF invitait les voyageurs pour des raisons de sécurité à ne pas ouvrir les portes et à ne pas descendre sur les voies. Ce que firent pourtant quatre adultes et un adolescent qui serrait contre son ventre une mallette. Durant les dix minutes d'immobilité forcée, les passagers eurent tout loisir de les regarder s'éloigner en direction d'une haie d'arbres, du moins ceux placés du côté droit des voitures de seconde classe 11, 12, et 13. Mais ce n'était pas le cas de George Palo, assis du côté gauche en première, dans la voiture 17.

Et il avait autre chose en tête que regarder par la fenêtre. À l'instant où le train s'arrêtait, un homme d'âge mûr, au teint mat et aux cheveux noirs coupés très court, portant costume de bonne coupe et lunettes noires s'assit en face de lui en disant :

— Je suis l'ami de Valerio.

Giorgio Palomara écarquilla les yeux.

— Mais… je… je l'ai déjà donnée, la mallette.

L'homme ajusta ses lunettes noires et posa sur la tablette entre eux une élégante besace verticale en toile enduite, à porter sur l'épaule ou en travers grâce à sa bandoulière ajustable, entièrement doublée, l'intérieur disposant d'une poche plate zippée, d'une poche téléphone, de deux emplacements pour stylos et de trois compartiments pour cartes de visite, avec une poche avant très pratique.

— Vous l'avez déjà donnée ? dit-il calmement. À qui ?

— À un gamin, dit Giorgio en se levant à demi et en regardant vers l'arrière de la voiture, au petit Gardonni, son père est dans le comité Saturnia Vérité et Justice, il est parti par là, ajouta-t-il avec un grand geste.

Des regards curieux se tournaient vers eux. Un chat miaula, deux portables sonnèrent presque simultanément.

— Parlez plus bas, dit l'homme aux lunettes noires. Rasseyez-vous. Respirez tranquillement.

Giorgio Palomara regardait fixement la main de l'homme qui se glissait dans la poche si pratique.

— Si on se dépêche, on peut peut-être le rattraper.

L'homme sourit, posa l'index sur sa bouche.

— Chhhhut. Calmez-vous. Ça ne vous regarde plus. Mes ordres étaient très stricts : « S'il ne te donne pas la mallette, quelle que soit la raison, tu le tues. »

Avec un drôle de petit rire, Palomara dévisagea l'homme.

— Vous plaisantez ? Vous n'allez pas me tuer là, devant une vingtaine de personnes ?

— Je vais pas me gêner, dit-il en sortant un Glock de la poche très pratique.

De fait, il ne se gêna pas.

Une demi-heure plus tard, dans une zone d'entrepôts et d'hypermarchés, les Italiens et la Française rousse se serrèrent dans la chambre pour quatre à accès par carte bancaire d'un hôtel sans personnel. Il y eut une vive discussion entre un père et son fils, Domenico voulut donner une claque à son rejeton mais Giovanna s'interposa.

— Allons, dit-elle, c'est pas le moment de s'engueuler. L'essentiel, c'est qu'on ait la mallette. Il faut prendre une décision, maintenant : on va voir la police ou on fait ce que nous a dit Rottheimer ?

— Moi je vote pour la deuxième solution, dit Roberto.

— Moi aussi, annonça Giovanna.

— Moi, je suis hors jeu, dit Georgette. Je vais appeler un taxi pour rentrer à Limoges.

— Moi, je vote contre, lança Domenico. Ça suffit les conneries. Je ne veux pas exposer davantage mon fils.

— Ton fils, il vote pour, rétorqua Ricardo, qui avait reculé dans un angle de la pièce. Tu sais bien ce qu'il a dit, Rottheimer : si on va chez les flics maintenant, on n'est pas sûrs que les salauds seront coincés. Rottheimer est en train de monter une conférence de presse avec des avocats de la Ligue des droits de l'homme. Après, on sera intouchables.

— Je ne comprends pas pourquoi on doit le rejoindre dans la clinique où il a été transporté, observa Roberto.

Giovanna secoua la tête.

— Il doit avoir ses raisons pour organiser la conférence de presse là-bas.

L'appel atteignit Gerard Todos à Roissy, au moment où on allait fermer les portes de son avion de ligne — car il mettait un point d'honneur à ne pas utiliser de jet privé.

— Je ne peux pas vous parler longtemps, dit-il après qu'on l'eut brièvement informé de ce qui s'était passé dans le train Téoz 03660. Avisez les Partenaires Associés de la présence d'une balise dans la mallette et dites-leur qu'il s'agit seulement d'un retard, OK ? Suivez la balise et récupérez la mallette, puis recontactez-moi avant de la leur consigner.

Dans l'hôtel discount, après le départ de Georgette, les quatre Italiens tournèrent ensemble leurs regards vers la mallette.

— On l'ouvre ? proposa Roberto. Je suis curieux

de voir à quoi correspond le chiffre 3. Trois millions de dollars ? Trois milliards ? Trente ?

— Je ne sais pas si on peut…, commença Domenico mais il s'interrompit en se posant une main sur l'estomac.

Depuis plusieurs heures, il luttait contre des accès de nausée sans le dire à personne.

Giovanna avait déjà fait claquer la fermeture et elle sortit de l'attaché-case de grandes feuilles portant le sceau des États-Unis d'Amérique.

Quand ils eurent fini de calculer ce que ces papiers représentaient, ils restèrent sans voix devant l'énormité de la somme.

— Ça sera toujours trop bon marché pour la vie de ma mère, dit Ricardo. On y va ?

— Où ça ?

— À la clinique de Rottheimer, non ?

— Je ne suis toujours pas d'accord, dit Domenico, puis il passa une main sur son front emperlé de sueur. Je crois que je vais m'évanouir, dit-il en se laissant tomber en arrière sur le lit.

Ricardo se précipita pour lui tenir la main, lui caresser la joue, lui toucher le front.

— Papa, tu le fais exprès pour nous empêcher d'y aller ? C'est grave ? Tu as mal ? On appelle une ambulance ?

— Non, fiston, c'est rien, c'est justement les anti-douleurs, j'en ai trop pris, dit Domenico avant de perdre conscience.

Quand il revint à lui, il ne trouva plus que Roberto à son côté.

— Où est Ricardo ? demanda-t-il en s'asseyant dans le lit. J'ai été longtemps dans les vaps ?

— Une petite heure. On a joué à pile ou face pour savoir qui resterait avec vous. Et Ricardo a insisté pour accompagner Giovanna. Il a dit que la présence d'un adolescent, du fils d'une victime à la conférence de presse lui donnerait plus de poids. Après tout Frédérique n'était que ma maîtresse et Maria aussi, pour Giovanna. Tandis qu'un adolescent qui parle de sa maman tuée, ça fera beaucoup plus d'effet dans les médias.

Domenico secoua la tête et ne put retenir un sourire triste.

— Il a raison, ce petit con.

— Ça va ? Les gens de SOS Médecins vous ont examiné, ils ont dit qu'il n'y a pas de danger dans l'immédiat mais que vous devez vous faire hospitaliser le plus vite possible.

Domenico haussa les épaules.

— Je suis au courant… Mais… la mallette est encore là ? s'enquit-il en la montrant du doigt, au pied du lit.

— Oui, Giovanna a pris le contenu et l'a fourré dans son sac à main. Tous nos autres bagages sont restés ici, on les emmène avec nous à Paris : dès que vous vous sentirez capable de voyager, j'appelle un taxi pour aller à la gare. Nous, on prend le train pour Paris. Giovanna et Ricardo… je ne suis pas fort en géographie, mais il paraît que Châteauroux-Châtenay-Malabry, c'est long, ça va coûter une fortune en taxi. Giovanna a dit qu'elle s'en fout. Ils nous rappellent dès qu'ils sont arrivés. Rottheimer a rappelé, la conférence de presse a lieu ce soir à 19 h 30.

En voyant la pâleur de son mari, Simona Tavianello comprit le contenu de l'appel téléphonique qu'il venait de prendre.

— Jacopo ?

Il hocha la tête.

— Son corps vient d'être retrouvé à Ostia. D'après le légiste, il a été tué il y a trois jours. Sans doute le même jour qu'Aldo.

Simona ferma les yeux, s'efforçant de refouler la culpabilité montante. Quand Piergiorgio Palomara était venu lui remettre le portable, son ami était déjà mort, elle ne pouvait déjà plus rien pour lui. Bizarrement, ses pensées s'attardèrent à la population de chats du pont Sublicio. Les rapports entre eux ne devaient pas êtres tendres, la loi du plus fort régnait mais il lui semblait qu'elle était compensée par une espèce de solidarité de fond, une forme de communauté. Rien de comparable n'existait dans l'espèce humaine, conclut-elle, mais c'était sous le coup de l'émotion.

Assassinat d'un homme d'affaires dans un train près de Châteauroux
AFP 18.37 15.6.2009
George Palo homme d'affaires américain d'origine italienne a été assassiné vers 17.55 dans le wagon de première classe d'un train reliant Limoges à Paris. M. Palo était connu pour sa participation à de nombreuses œuvres philanthropiques et pour les positions écologistes fondamentalistes de sa revue The New Ecologist. *Le meurtrier, qui a, semble-t-il, échangé d'abord quelques mots avec la victime, lui a tiré une balle en plein front devant une vingtaine de passagers présents dans la voiture. Il a profité d'un arrêt précédemment*

Jean Kopa ricana, fit pivoter son siège et son expression s'adoucissant soudain, il dit :

— Voilà, c'est bientôt fini, on va pouvoir partir ensemble. On va partir comme nous sommes arrivés ici, chacun de notre côté, dans une ambulance, mais cette fois, ce sera la même. Et puis on prendra un avion, et puis un bateau et après on sera dans un endroit tranquille. Une très jolie vallée, tu verras. Je resterai toujours avec toi

Au fond du fauteuil roulant à deux vitesses, tout au fond du corps figé et rabougri dont les chairs ache-vaient de se transformer en os, l'esprit intact de Jeanne Kopa enregistra l'information et y réagit mais rien ne transparut sur le maigre visage pétrifié, où seuls les yeux, bleus comme l'éternité, vivaient.

— Qu'est-ce que ça veut dire, *stepping into the lion's den* ? s'enquit Domenico quand les deux messieurs polis et costauds venus réclamer la valise et son contenu furent repartis en parlant dans leur talkie-walkie.

— Se jeter dans la gueule du loup, je crois, rétor-qua Roberto en l'aidant à se lever après avoir ras-semblé les légers bagages de la compagnie.

Un taxi les attendait.

— Ils parlaient de Ricardo et de Giovanna, non ? reprit Domenico en descendant dans le hall une main

sur l'épaule de Roberto, marquant une pause essouf-
flée toutes les trois marches. Je crois vraiment qu'il
faut aller à la police, tout de suite. Il y a quelque
chose de très bizarre dans tout ça.

— Si on doit s'expliquer dans un commissariat, je
crois vraiment que ça risque d'être compliqué… Il
vaudrait peut-être mieux rappeler Rottheimer, d'abord,
non ?

Comme ils montaient dans le véhicule, le téléphone
de Domenico sonna.

— À Châteauroux. À la gendarmerie, dit-il au
chauffeur, puis il prit la communication.

— Allô, ici Fabrice, le compagnon de Cédric Rottheimer.

La voix semblait épuisée et un peu mécanique,
comme s'il répétait pour la énième fois un message :

— Je fais le tour des numéros que j'ai trouvés
dans ses dossiers. Pour vous aviser que la cérémonie
aura lieu demain à 16 heures au Père-Lachaise, je
suppose que vous êtes à Rome et que vous ne pourrez pas venir, mais vous pouvez envoyer…

— Quelle cérémonie ?

— L'incinération…

— Je ne comprends pas.

— Vous ignorez que mon ami Cédric Rottheimer…

Il se racla la gorge avant de poursuivre :

— Qu'il a été renversé par un camion à Paris, et
qu'il est mort à l'hôpital Tenon sans avoir repris
connaissance ?

— Mais depuis deux jours, il nous appelle…, articula à grand-peine Domenico qui n'eut pas besoin de
la suite, car il avait déjà compris.

— Je vous dis qu'il est mort… il est mort, répéta

Fabrice avec quelque chose comme de l'incrédulité dans sa voix. Si quelqu'un vous appelle de son portable, c'est la personne qui l'a volé à Cédric quand il a eu son accident. Il faut prévenir la police.

Épilogue

— Ils doivent être en train de prévenir la police, énonça l'homme. Mais le temps qu'ils arrivent ici, je serai déjà loin. Rassurez-vous, je n'ai pas l'intention de vous faire du mal. Je veux juste récupérer l'argent et m'en aller avec ma sœur.

— C'est vous le tueur, décréta Ricardo. Vous êtes Jean Kopa, j'ai vu les photos. C'est vous qui avez tué ma mère.

— Et ma compagne Maria, ajouta Giovanna. Et Frédérique Play. Et c'est vous, vous l'assassin, qui nous avez guidés à la recherche des vrais commanditaires de l'attentat.

— Les Partenaires Associés, dit Ricardo.

Giovanna regardait au-delà de l'homme blond-roux au physique sportif, au nez un peu tordu, au-delà du bureau sur lequel trônait un ordinateur posé à côté de divers appareils, d'une arme longue et d'une arme de poing dont elle ignorait le nom et les caractéristiques parce qu'elle ne s'était jamais intéressée à ce genre de choses. Elle regardait la verrière qui occupait le fond de la pièce, juste derrière la chaise. Ils se trouvaient au deuxième étage d'un pavillon isolé au fond du parc de la Clinique Suisse, à Châtenay-Malabry.

Quand le taxi était reparti et qu'ils avaient sonné au portail, ils avaient annoncé devant un vidéophone qu'ils étaient attendus par M. Rottheimer pour une conférence de presse. Puis il y avait eu une longue attente avant que n'approche un Humvee aux vitres teintées. L'ouverture électrique du portail s'était déclenchée, ainsi que celle des portières arrière du véhicule, sans qu'ils voient le chauffeur. Ils étaient montés chacun d'un côté, on avait roulé.

— M. Rottheimer ? avait demandé Giovanna.

— Il nous attend, avait répondu le conducteur.

Durant les quelques minutes qu'avait duré le trajet, ils n'avaient pas cessé de lui jeter des coups d'œil dans le rétroviseur car son visage leur disait quelque chose.

Puis, comme le véhicule se garait entre un platane taillé vers le haut et l'arrière d'un élégant pavillon néoclassique, Giovanna avait reçu un SMS. Une fois lu, elle avait levé les yeux et dit :

— Rottheimer ne peut pas être là, il est mort hier à l'hôpital, à Paris.

Le conducteur avait répondu sans s'émouvoir, ni se retourner, les fixant dans le rétroviseur :

— En effet. Vous allez monter avec moi au deuxième étage de ce bâtiment. Je suis armé, mais je ne tiens pas à être violent. Si vous faites ce que je dis, il ne vous arrivera rien. N'oubliez pas votre sac à main. Vous venez tous les deux.

Le garçon avait jeté un regard de détresse à Giovanna mais elle s'était forcée à lui sourire.

— Monsieur plaisante sûrement. On va le suivre. Pas de problème.

Il les fit passer devant et tandis qu'ils montaient les volées de marbre conduisant au deuxième, Kopa leur expliqua que l'endroit était la propriété d'un ami qui avait su mieux investir son argent que lui : de l'autre côté du parc, il y avait une vaste clinique produisant de larges bénéfices, avec peu de personnel hospitalier mais beaucoup de services annexes et payants. De toute façon, ici, il n'y avait qu'eux et ils seraient tranquilles.

Dans la pièce où ils avaient été introduits, les regards de la femme et du garçon avaient été aussitôt aimantés par des yeux célestes au fond d'un visage pétrifié.

— Voici ma sœur Jeanne, avait dit l'homme. Donnez-moi vos portables, s'il vous plaît.

Ils s'étaient exécutés et l'homme s'était assis en perpendiculaire à la table supportant ordinateur, armes, appareils divers. C'est alors que Ricardo avait annoncé qu'il l'avait reconnu.

Giovanna contemplait le parc au-delà de la verrière, les cèdres isolés au milieu des pelouses, les massifs de rhododendrons, les allées, les statues et les bancs. Il lui revenait des images d'une promenade avec Maria à Tivoli, dans une villa qui n'ouvrait au public que quelques jours par an, Maria riant pendant qu'elle la photographiait devant une cascatelle rococo.

— Les bons du Trésor américain sont dans votre sac ? demanda Kopa.

Giovanna hocha la tête.

— Donnez-moi votre sac, s'il vous plaît.

Giovanna secoua la tête.

— Allons, soyez raisonnable. Vous, vous ne pourrez rien en faire. Moi, je sais comment les négocier.

J'ai essayé de vous utiliser pour arriver aux commanditaires, parce que je voulais avant tout qu'ils me garantissent la vie sauve. Vous savez, je ne suis qu'un petit, comme vous. Un petit employé qui voulait prendre sa retraite mais de nos jours, il paraît que l'âge de la retraite doit être repoussé toujours plus tard…

Le garçon et la femme secouèrent ensemble la tête.

Kopa considéra ces deux corps figés, rétractés sur eux-mêmes. Il était assis à trois mètres du garçon et de la femme qui se tenaient debout près de l'extrémité de la table. Un bond lui suffisait pour s'emparer du sac, deux gifles pour les rendre dociles. Mais ce bloc qu'ils formaient tout à coup, si soudés, si réfractaires, l'agaçait, il avait envie de le dissoudre en montrant l'inanité de la résistance.

— Je ne vous veux pas de mal. Je vous en ai fait, je le sais, mais c'étaient les ordres, je n'ai rien de personnel contre vous.

— C'est ça le pire, dit Giovanna.

Kopa soupira.

— Non, le pire, c'est que vous ne saurez jamais qui était derrière tout ça. Les Partenaires Associés, des puissances qui avaient investi des sommes gigantesques dans la combine des *subprimes*, se sont sentis grugés par les manœuvres financières de la firme Todos, et leurs dirigeants ont vu rouge quand ils ont découvert que le numéro 2 de la firme paraissait soutenir un projet qui visait rien moins qu'à encourager l'effondrement du système financier, au nom d'une idéologie fumeuse. C'est pourquoi ces puissances ont frappé à Saturnia, le message étant très clair : remboursez-nous les pertes de l'opération Saturne. Trois milliards de dollars, c'est ça ?

Giovanna secoua la tête.

— Plus, beaucoup plus.

— Ah, fit Kopa. C'est pas une bonne nouvelle… Ça signifie qu'on est à un niveau encore plus élevé. Il est temps que ma sœur et moi, on disparaisse. Je vais prendre l'argent, vous enfermer à l'étage supérieur et vous n'entendrez plus jamais parler de moi. Dans peu de temps, on viendra vous délivrer. La police, les services, les gens de Todos, il y a tant de monde qui doit converger ici. Donnez-moi votre sac, Giovanna.

Kopa avait à peine fini sa phrase qu'un ronronnement de moteur lui fit tourner la tête. Le fauteuil où était attachée Jeanne reculait vers la verrière. La tête du tueur revint vers le bout de la table, vers Ricardo.

— Ah, c'était bien ça, dit le garçon. J'ai un copain handicapé, sa télécommande est pareille.

Kopa se leva.

— Lâche ça.

Grand bruit de bris. Les roues de l'engin avaient heurté la verrière, un morceau était tombé dans le vide, deux étages plus bas, une fente parcourait le verre en travers de la baie.

— Si vous avancez, je balance votre sœur dans le vide, dit Ricardo.

Sa voix tremblait mais sur son visage, Kopa reconnut l'expression aperçue dans les cybercafés du monde entier : celle des gamins jouant en ligne et proches d'atteindre l'ultime niveau.

Kopa tourna la tête vers sa sœur, accrocha son regard.

— N'aie pas peur, je vais le calmer, n'aie pas peur, murmura-t-il en faisant un pas vers elle.

— Stooop ! hurla le garçon. Si vous bougez encore, d'un côté ou de l'autre, je la fais tomber.

Kopa se figea. Baissant les yeux, il vit ce que, de sa vie, il n'avait jamais vu : ses propres mains trembler.

— Calme-toi, petit, dit-il d'une voix fêlée.

— Ricardo, commença Giovanna.

— Toi pareil ! intima Ricardo. Toi pareil, bouge pas, personne bouge. Ce type a tué ma mère, et ma sœur, elle est dans le coma. Je veux me venger. La vérité ? On la saura jamais en entier ! La justice ? On peut se brosser. Moi, je veux me venger. Je vais balancer sa sœur dans le vide.

Cela dit, il ne fit rien.

Personne ne bougea.

Le regard de Kopa allait sans cesse de ses armes au garçon, de la chaise à la télécommande dans la main du garçon, de la télécommande à la baie fendue, s'arrêtait au bord des yeux de sa sœur, y sombrait, s'en arrachait.

Puis il y eut une rumeur d'hélicoptère, lointaine d'abord et de plus en plus forte ensuite.

— Les voilà, dit Kopa. C'est foutu. Les flics, les services, les hommes de Todos, je ne sais pas. Quelqu'un va venir. Ce n'est plus la peine, laisse-moi mettre ma sœur en sécurité. Je vais me rendre.

— Ta gueule, dit Ricardo.

Le garçon cherchait l'auteur d'une phrase entendue. Était-ce le Maestro ou bien son père qui lui avait dit : « La vengeance, c'est bon pour les gens qui ont un pouvoir à défendre. Mais toi qui es sans pouvoir, si tu as perdu quelqu'un que tu aimes, aucune vengeance jamais ne sera assez immense pour compenser la perte de l'aimé. »

Un coup de feu interrompit ses pensées.

Environ trois heures plus tard, sur le trottoir devant l'entrée 21 niveau départ de Charles-de-Gaulle 1, à deux pas de la desserte express des taxis, un parachutiste patrouilleur du plan Vigipirate embarrassé de son Fama aidait Giovanna à se redresser.

— J'ai tout vu, mais j'ai rien pu faire, dit-il avec un accent de Carcassonne.

— Moi non plus, dit son collègue râblé avec l'accent du 9-3.

— Il faut prévenir la police, dit Ricardo en se massant le genou.

Il avait tenté de s'interposer entre la main du motard à casque intégral et le sac de Giovanna, mais une baffe magistrale l'avait envoyé valdinguer.

Giovanna se tâta l'épaule. Rien de luxé ni de cassé. C'était bien la peine d'avoir dissimulé aux gens du GIGN et aux types des services secrets la présence de ces bons du Trésor dans son sac à main (elle avait prétendu que Kopa les lui avait confisqués dès leur arrivée et qu'il les avait cachés quelque part dans la maison, ce qui était après tout vraisemblable et ils n'avaient pas osé la fouiller — c'était une victime, non ? elle avait appelé son avocat et l'ambassade d'Italie, non ?). C'était bien la peine de réussir ce coup-là pour se faire ensuite bêtement voler à l'arraché.

— On prévient la police, dit le Carcassonnais.

— Oh, dit Giovanna en fixant Ricardo dans les yeux, pas la peine. J'ai mes papiers sur moi. Notre avion part dans une demi-heure. J'enverrai une déposition par la poste.

— Vous n'aviez pas d'argent dans votre sac ? Des bijoux ?

Elle haussa les épaules.

— Pas grand-chose...

À ses yeux, ces bons du Trésor n'avaient jamais eu de valeur que comme preuves à remettre entre les mains de la justice italienne, au cas où elle pourrait accomplir le travail consistant à réintroduire un peu de vérité et de justice dans un monde où Maria n'existait plus. Maintenant qu'elles étaient revenues entre les mains de Todos, ou des services secrets, ou plus vraisemblablement encore des Partenaires Associés, ces feuilles de papier ne valaient plus rien.

— Il y avait juste trois cent milliards de dollars, dit Ricardo.

Le soldat du Sud-Ouest lui lança un regard réprobateur mais se retint de le traiter de petit con.

Au flanc d'une colline, dans un bosquet que le soir rosissait, l'ex-commissaire Tavianello caressa une dernière fois le cou de l'âne gris et se baissa pour passer sous la poutre récemment tombée en travers de la porte du Palais d'Été. Le chien fauve se dressa pour lui lécher la main au passage mais il resta à l'intérieur. Elle sentit le chat Eurêka passer entre ses pieds, il rejoignait le lapin blanc dans le fond de la pièce.

— Tu les laisses tous là ? demanda son mari qui l'attendait au début du chemin.

— Écoute, s'ils ont envie d'y passer la nuit...

Ils avancèrent sur le sentier. La chaleur d'août était encore étouffante, il n'y avait pas un brin de vent.

— J'ai fait la soupe au pain et une estouffade de sanglier, annonça Marco et comme sa femme allait protester, il ajouta : Ah, au fait, la petite, là, Silvia Gardonni, elle est sortie du coma !

— Magnifique ! Je vais appeler son père.

— Pas possible, c'est Ricardo qui m'a prévenu. Son père est en chimio. Apparemment, ça s'arrange pas.

— Il devait être fou de joie, le petit Ricardo, pour sa sœur.

— Oui, en même temps, il se sent toujours coupable de la mort de la sœur de Kopa.

Simona haussa les épaules.

— Elle est morte à la seconde où une balle a explosé le cerveau de son frère. C'était mieux pour elle, de toute façon. Tu imagines la vie qu'elle allait avoir ? Je crains que ce garçon soit un éternel tourmenté.

Marco eut un demi-sourire triste.

— Peut-être, concéda-t-il. Et il attendra d'avoir soixante ans pour trouver la sérénité.

— Comme toi, tu veux dire ?

— Comme toi.

— Ah, alors je dois attendre encore trois ans ?

Ils étaient arrivés à leur Jeep. Simona prit le volant.

— On a bien fait de racheter le domaine d'Aldo. On est à l'écart. À l'écart d'un monde où Kopa a été abattu mais où les Partenaires Associés courent toujours. Où Febbraro est toujours grand chef des services secrets, où l'attentat de Saturnia a rejoint les mystères italiens, avec ses procès interminables et ses verdicts incompréhensibles. Où les repentis du genre Palomara continuent de raconter leurs salades tandis que les boss concurrents, ceux qui ont réussi, sont maintenant très loin de nous, ils se sont mélangés à d'autres boss plus légalistes et ils continuent leurs petits jeux pourris quelque part entre Shanghai, New York et Dubaï, dans les sphères hors de notre portée.

Marco mit sa ceinture et elle démarra.

— On ne peut rien contre mille milliards de dollars, avança-t-il entre deux cahots. Mille milliards de dollars, c'est le montant des revenus des organisations criminelles transnationales, selon une estimation de l'ONU d'il y a quelques années. Et il ne s'agit que de l'argent qui provient des activités directement criminelles. Tu as une idée des profits que ça engendre, ce fric recyclé dans l'économie légale, et dans des opérations comme celle des *subprimes* ? Je viens de lire que les performances du crime organisé dépassent celles de la plupart des cinq cents premières firmes mondiales classées par la revue *Fortune*, avec des organisations qui ressemblent plus à General Motors qu'à la mafia sicilienne traditionnelle. On peut combattre la mafia, pas la General Motors.

— Bon, ça c'est toi qui le dis.

— Tu virerais pas au communisme, sur tes vieux jours ?

— Qu'est-ce que ça peut bien vouloir dire, le « communisme », de nos jours ?

— Ah ben oui, c'est la bonne question.

Elle ne répondit pas car ils étaient arrivés dans la cour du mas et elle opérait une manœuvre pour se garer dans une ex-écurie. C'était l'heure de manger, pas de répondre aux questions, même les bonnes.

REMERCIEMENTS

À celles qui, en me relisant, m'ont aidé à mieux ordonner ce récit sur un bout de chaos du monde : Anne-Marie Métailié, Maruzza Loria, Christine Martineau, Hélène Bihèry.

Je remercie tout particulièrement le Maestro, Andrea Camilleri, de m'avoir laissé le mettre en scène et d'avoir approuvé les propos que je mets dans sa bouche.

Les propos de Todos dans le prologue sont tirés des déclarations, à peine déformées par moi, d'un directeur de *Hedge Funds* cité par Frédéric Lordon dans son excellent *La crise de trop* (Fayard).

Le texte d'un magistrat antimafia que Palo garde dans son portefeuille est de Alfonso Sabella et est lisible sur : http:// www.sisde.it/Gnosis/Rivistal8.nsf/ServNavig/13

DU MÊME AUTEUR

Aux Éditions du Masque

MADAME COURAGE, 2012

LA DISPARITION SOUDAINE DES OUVRIÈRES, 2011

SATURNE, 2011 ; Prix des lecteurs Quais du Polar — 20 Minutes, 2011. Folio Policier n° 668

Aux Éditions Anne-Marie Métailié

YASMINA, SEPT RÉCITS ET CINQUANTE RECETTES DE SICILE AUX SAVEURS D'ARABIE, avec Maruzza Loria, 2009

AU FOND DE L'ŒIL DU CHAT, 2007

VÉNÉNOME, 2005

LA NUIT DE LA DINDE, prix du roman du Var 2003 et prix interlycées professionnels de Nantes 2004

LE PLAGIAT (sous le pseudonyme Andrea Gandolfo), 2001

LES ALPES DE LA LUNE, 2000

Trilogie :

Y, 1991

RUE DE LA CLOCHE, 1992

LA FORCENÉE, 1993

Aux Éditions Gallimard

Dans la collection Série Noire :

COMMENT JE ME SUIS NOYÉ, 1995

TIR À VUE, 1993

Chez d'autres éditeurs

J'AI JETÉ MON PORTABLE, Rat Noir, Éditions Syros, 2007

NAUSICAA FOREVER, Éditions Le Rocher, 2005

IL Y A QUELQU'UN DANS LA MAISON, Souris Noire, Éditions Syros, 2005

LA RÉVOLUTION NE SERA PAS TÉLÉVISÉE, Éditions La Mauvaise Graine, 2003

COLCHIQUES DANS LES PRÉS, Babel Noir, Éditions Actes Sud, 2000

JE TE DIRAI TOUT, Éditions Blanche, 1998

LE SOURIRE CONTENU, Éditions Fleuve Noir, 1998

JE PENSE DONC JE NUIS, n° 1 de la Série Alias, Éditions Fleuve Noir, 1997

TONTON TUÉ, Souris Noire, Éditions Syros, 1996

SAIGNE SUR MER, Le Poulpe, Éditions Baleine, 1995

Composition: Nord Compo
Impression Novoprint
le 20 août 2012
Dépôt légal : août 2012

ISBN 978-2-07-044380-2./Imprimé en Espagne.